おつまみ横丁

すぐにおいしい酒の肴185

池田書店

すぐにおいしい酒の肴185
contents

ぐいっと一杯やりたくなる

第一章 横丁酒場の定番おつまみ

とりあえず 10

たたき山芋の明太和え……10
プロセスチーズの黒こしょうまぶし……12
野菜スティック……13
ちくわきゅうり……14
カリカリベーコンせんべい……15
みそ漬け3種……16
みょうがと貝割れのおかかまぶし……18
オニオンスライス卵黄のせ……19
ゆで卵の練りうにのせ……20
ぬれせんのチーズ焼き……21
クリームチーズのわさびじょうゆ和え……22
ピクルス……23

サラダ 24

生ほうれん草とカリカリベーコンのサラダ……24
ポテトサラダ……26
トマトとモッツァレラチーズのサラダ（カプレーゼ）……27
きんぴらサラダ……28
豆腐と水菜のカリカリじゃこサラダ……29
ホタテと切り干し大根のサラダ……30
ツナとカッテージチーズのサラダ……32
チャーシューと青ねぎのサラダ……33
白菜とひじきのサラダ……34
マカロニサラダ……35

煮物・蒸し物 36

たこと里芋のやわらか煮……36
枝豆のしょうゆ煮……38
あさりの酒蒸し……39
いか大根……40

鯛の昆布蒸し …… 41
もつ煮込み …… 42
まいたけのしょうゆバター …… 44
さんまのしょうが煮 …… 45
豚角煮大根 …… 46
鶏レバーの甘辛煮 …… 48
鶏団子と厚揚げの煮物 …… 49

焼き物 50

焼きなす …… 50
そら豆の丸焼き …… 52
おろし山芋の磯辺焼き …… 53
煎りぎんなん …… 54
さざえのエスカルゴ風 …… 55
さけハラス焼き …… 56
ぶりの塩焼き …… 57
手羽先のピリ辛焼き …… 58
つくね焼き …… 60
塩豚の網焼き …… 61
塩焼きとり …… 62
ねぎ入り卵焼き …… 63

炒め物 64

豚耳とセロリの炒め物 …… 64
トマト炒め …… 66
にら玉キャベツ …… 67
煎りこんにゃく …… 68
ジャーマンポテト …… 69
ゴーヤチャンプルー …… 70
ホタテのバターしょうゆ焼き …… 72
たこのガーリックソテー …… 73
いかのしょうが焼き …… 74
うにクレソン炒め …… 75
しらすとししとうのペペロンチーノ …… 76
豚にらキムチ炒め …… 78
合鴨の塩焼き …… 79

揚げ物　80

レバカツ……80
にんにく丸揚げ・素揚げ……82
カマンベールチーズフライ……83
いろいろ野菜の素揚げ……84
カレーコロッケ……85
あじフライ……86
小あじの南蛮漬け……88
たこの唐揚げ……89
いかの唐揚げ……90
鶏の唐揚げ……91
鶏軟骨のカレー風味揚げ……92
串カツ……93

和え物　94

アボカドとまぐろのメキシコ風……94
なすときゅうりのもみ柴漬け……96
いんげんのごま和え……97
たたき酢ごぼう……98
かぶとスモークドサーモンの甘酢和え……99
たたききゅうりのポン酢和え……100
ゆで豚のピリ辛ソース……101
あじのなめろう……102
おくらいか納豆……104
わけぎとあさりのぬた……105
まぐろの山かけ……106
酢牡蛎……107

豆腐　116

焼きみそ豆腐……116
ねぎ塩やっこ……118

薬味いっぱいくずし豆腐 …… 119
油揚げの玉ねぎ詰め焼き …… 120
煎り豆腐 …… 121
揚げだし豆腐 …… 122
豆腐のきのこあん …… 124
肉豆腐 …… 125
焼き厚揚げ …… 126
豆腐とあさりの煮物 …… 127

〆の一品 128

卵納豆そば …… 128
ぶっかけ薬味そうめん …… 130
ピリ辛塩焼きそば …… 131
鶏飯(けいはん) …… 132
いくらご飯 …… 134
わさびおにぎり …… 135
しょうがご飯 …… 136
すだちご飯 …… 137

小鍋立て 138

湯豆腐〔木綿豆腐×絹ごし豆腐〕 …… 138
あぶすき〔油揚げ×長ねぎ〕 …… 140
たらちり〔生だら×春菊〕 …… 141
ぶりの水炊き〔ぶり×長ねぎ〕 …… 142
煮やっこ〔豆腐×卵〕 …… 143
水菜とはまぐりの鍋仕立て〔水菜×はまぐり〕 …… 144
ねぎま鍋〔まぐろ×長ねぎ〕 …… 146
船場汁〔塩さば×大根〕 …… 147
あさりと大根鍋〔あさり×大根〕 …… 148
牡蛎のみそ鍋〔牡蛎×豆腐〕 …… 149
白身魚のチゲ〔白身魚×豆腐〕 …… 150
鶏の水炊き〔鶏肉×大根〕 …… 151
常夜鍋〔豚バラ肉×小松菜〕 …… 152
鴨鍋〔鴨肉×長ねぎ〕 …… 154
豚キムチチゲ〔豚バラ肉×白菜キムチ〕 …… 156
牛豚のしゃぶしゃぶ〔牛肉×豚バラ肉〕 …… 157

まだまだある

第二章 気軽につくれるおつまみレシピ集

●クイックおつまみレシピ47　166

〈野菜類〉
青菜のおひたしオリーブ油かけ……166
アスパラガスのからし和え……166
かぼちゃサラダ……167
きのこバター……167
キャベツのアンチョビ炒め……167
きゅうりのバリバリ（ピリ辛じょうゆ）……168
きゅうりもみ入りもずく酢……168
里芋とじゃこのサラダ……168
大根の梅和え……169
トマトチャンプルー……169
なすみそ炒め……169
ピーマンだけしょうゆ炒め……170
ポテトチーズ焼き……170
もやしの酢の物……170

〈魚介類〉
いかのみそマヨ炒め……171
いか明太和え……171
牡蛎のしょうゆ焼き……171
白子ポン酢……172
たこキムチ……172
たらもサラダ……172
まぐろのコチュジャン和え……173

〈肉類〉
ウィンナーケチャップ炒め……173
牛スジ煮込み……173
ささ身の柚子こしょう和え……174
鶏皮せんべい……174
鶏皮ポン酢……174
鶏手羽中のごま焼き……175

鶏ハツのハーブ焼き……175
鶏もも肉のチリ風味揚げ……175

〈その他〉
厚揚げサイコロステーキ……176
キムチチーズ餃子……176
魚肉ソーセージ焼き……176
ちくわの梅しそ和え……177
納豆チーズ揚げ……177
ピータン豆腐……177
焼きエリンギの柚子こしょう和え……178
焼きがんも……178
わさびチーズ海苔……178

〈缶詰め・瓶詰め〉
いわし缶のマヨネーズ焼き……179
オイルサーディンの缶ごと焼き……179
コンビーフ炒めのクラッカーのせ……179
牛肉大和煮の生春巻き……180
さけ缶ワイン蒸し……180
さんまのかば焼き缶チーズ焼き……180
スパムステーキ……181
なめたけ卵焼き……181
海苔なめたけおろし……181

●文字だけおつまみレシピ20　182
えのきだけ梅肉和え……182
かぶのしょうゆ漬け……182
かぼちゃのきんぴら……182
キャベツのおかか煮……182
きゅうりの中華風酢漬け……182
ゴーヤのおひたし……182
しらたきのピリ辛……183
たけのこソテー……183
玉ねぎとおかかの二杯酢……183
ほうれん草のベーコン炒め……183
もやしのナムル風……183

れんこんの厚焼き……183
厚揚げの甘辛煮……183
いかのわた焼き……184
えびとアボカドのサラダ……184
白身魚のカルパッチョ……184
たこのマリネ……184
まぐろユッケ……184
牛肉とししとうのガーリック炒め……184
砂肝の唐揚げ……184

横丁酒場の料理教室
いかをさばく 158
あじを三枚におろす 160
さざえをさばく 162
アボカドの下ごしらえ 163

お役立ちコラム 108
料理用語解説 164
素材別INDEX 185

▣本書の使い方

●計量の単位は、小さじ1＝5mℓ(cc)、大さじ1＝15mℓ(cc)、1カップ＝200mℓ(cc)。
●調味料は、とくに注釈のないものは、砂糖は上白糖、塩は粗塩、しょうゆは濃口しょうゆ、みそは好みのみそ、小麦粉は薄力粉を使用。
●だし汁とは「昆布と削り節でとった和風だし」のこと(163頁参照)だが、インスタントの「和風だしの素」でも代用可。
●電子レンジは500wのものが基準。メーカーや機種により違いがあるので、様子をみながら加減すること。

▣分量表記について

●つくりやすさを考え「基本は1人分」だが、便宜上多めにつくったほうがいいものや、つくりやすいものは2～4人分で表記。
●レシピの分量は、おいしくつくるための目安。材料が一品くらい足りなかったり、他の材料に代えたとしても問題なくおいしくつくれるので、自分なりの工夫してみよう。

●＊のついた用語は、164頁「料理用語解説」を参考にしよう。

揚げ油の温度		
	160度(低温)	揚げ油に衣を落とすと、底まで沈み、ゆっくりと浮き上がってくる。
	170度(中温)	揚げ油に衣を落とすと、底まで沈み、すぐに浮き上がってくる。
	180度(高温)	揚げ油に衣を落とすと、沈まないで、油の表面でパッと散るように広がる。

第一章

横丁酒場の定番おつまみ

ぐいっと
一杯やりたくなる

とりあえず

山芋をポリ袋に入れて粗めに砕く。

たたき山芋の明太和え

一 長芋は皮をむいてポリ袋に入れ、すりこぎや空き瓶などでたたいて2㎝角くらいの大きさに砕く。

二 明太子は、スプーンでしごいて中身を出し、薄皮を取る。

三 長芋と明太子を和えて器に盛り、貝割れ大根を添える。

[材料1人分]

長芋 ……………… 5㎝分(100g)
辛子明太子 ………… 大さじ1
貝割れ大根 ………… 少々

プロセスチーズの黒こしょうまぶし

一 プロセスチーズはひと口大に切る。

二 挽きたての黒こしょうを、多めにまぶす。

三 器に盛る。つまみやすように爪楊枝を刺しても。

ポイント
黒こしょうは、できれば挽きたてを使ったほうが風味が断然違う。これでもかというほど多めにまぶしたほうが旨い。

［材料１人分］
プロセスチーズ ……40g
粗びき黒こしょう（挽きたてのもの）
……………………小さじ1/3

野菜スティック

一 野菜はすべて1cm角の棒状に切り、大根だけは冷水に3～5分さらして辛みを抜く。

二 ごまマヨネーズの材料を混ぜ合わせる。

三 スティック野菜を器に盛り合わせ、ごまマヨネーズを添える。

［材料２人分］

にんじん・セロリ	各$\frac{1}{4}$本
きゅうり	1本
大根	1～2cm(50g)
ごまマヨネーズ	
すりごま・マヨネーズ	各大さじ2
しょうゆ	小さじ1
一味唐辛子	少々

アレンジ
たらこ（または明太子）とマヨネーズ、こしょう少々を合わせた「たらこマヨネーズ」、おろしわさびとマヨネーズ、しょうゆ少々を合わせた「わさびマヨネーズ」もいける。

ちくわきゅうり

一 きゅうりは、ちくわの穴に合わせて縦に細長く切る。

二 ちくわの穴にきゅうりを通し、食べやすい大きさに切り分けて器に盛る。

三 マヨネーズを添えて、好みでしょうゆ、七味唐辛子をかける。

ポイント きゅうりの代わりに「スティック野菜（13頁）」を使っても。

［材料１人分］

ちくわ ……………… ２本
きゅうり ……………… 1/4本
マヨネーズ ……………… 適量
しょうゆ・七味唐辛子 ‥ 各少々

カリカリベーコンせんべい

一 ベーコンは適当な長さに切り、火をつける前のフライパンに入れてから弱火にかける。

二 ときどき裏返しながら、カリカリになるまでじっくり焼く(25頁)。

三 ペーパータオルに取って余分な脂をきり、器に盛って練りがらしを添える。

ポイント

質のよくないベーコンは、じっくり焼いてもカリカリにならないことが多い。なるべく良質のベーコンを選ぶようにしよう。

[材料1人分]

ベーコン …………… 2枚

練りがらし ………… 少々

みそ漬け3種

［材料2人分］

生モッツァレラチーズ ‥1個
新しょうが …………50g
木綿豆腐 …………½丁
みそ床
　好みのみそ …………1カップ
　みりん …………50cc

みそとみりんを少量ずつ混ぜ合わせる。

㈠ 豆腐は布巾に包んで重石をのせ、水きりする（122頁）。

㈡ みそにみりんを少しずつ加えながら泡立て器で混ぜ、みそ床をつくる。

㈢ 密閉容器に二の半量を入れ、漬ける材料をおいて、残りのみそを上からのせる（材料をみそに直につけたくない場合は、間にガーゼを挟むとよい）。好みの期間、冷蔵庫におく。

ポイント
モッツァレラチーズなら3時間（浅漬け）〜1ヶ月くらい（古漬け）、しょうがは1日（浅漬け）〜1ヶ月くらい（古漬け）、豆腐は1日（浅漬け）〜2週間くらい（古漬け）が食べ頃。

みょうがと貝割れのおかかまぶし

一　みょうがは縦半分に切ってから、斜め薄切りにする。

二　貝割れ大根は根元を切り落とし、ざく切りにする。

三　ボールに一と二、削り節を入れ、和えて器に盛る。食べる直前にしょうゆをかけ、全体を混ぜる。

ポイント

みょうがと貝割れ大根のありそうでなかった組み合わせ。シャキッとした思わぬ歯ごたえに、きっと驚くはず。

［材料１人分］

みょうが	１個
貝割れ大根	1/4パック
削り節	１g
しょうゆ	適量

オニオンスライス卵黄のせ

一 玉ねぎは薄切りにして冷水にさらし、透き通った感じになったらザルの上げ、水けをきる。

二 玉ねぎを器に盛って削り節をかけ、卵黄をのせる。

三 食べる直前にしょうゆをかけ、全体を混ぜる。

ポイント
卵黄が加わることで、普通のオニオンスライスよりもまろやかでコクのある味わいに。

［材料１人分］

玉ねぎ	1/4個
削り節	1g
卵黄	1個
しょうゆ	適量

アレンジ
卵黄はのせずに、シンプルに酢またはレモン汁を適量しぼりかけて食べても。

ゆで卵の練りうにのせ

一 卵は半熟にゆでる。

二 殻をむいて4等分する。

三 器に盛り、練りうにをのせる。

ポイント

ゆで卵を半熟にゆでるには、小鍋にかぶるくらいの水と卵を入れ、塩または酢少々を加えて中火にかけ、菜ばしでゆっくり転がしながら沸騰したら弱火にし、そのまま5～6分ほど転がし続ける。冷水にとって冷やしたら、卵の丸いほうから殻をむく。

［材料1人分］

ゆで卵 ……………1個

練りうに …………小さじ$\frac{1}{2}$

ぬれせんのチーズ焼き

一 ぬれせんべいにピザ用チーズをのせる。

二 オーブントースターに入れ、焦げないように注意して、チーズが溶けるまで焼く。

三 それぞれに七味唐辛子または黒こしょうをふり、2種類の味をつくる。

ポイント

ぬれせんべいには「やわらかタイプ」と「固めのタイプ」とあるので、自分なりにいろいろ試してみよう。1種類だけ選ぶなら、「やわらかタイプの黒こしょう味」がおすすめ。

［材料１〜２人分］

ぬれせんべい	３〜４枚
ピザ用チーズ	適量
七味唐辛子・黒こしょう	各少々

クリームチーズのわさびじょうゆ和え

一 クリームチーズは、適当な大きさのサイコロ状に切る。

二 しょうゆとわさびを混ぜて、わさびじょうゆをつくる。

三 一を二にくぐらせ、器に盛っておろしわさびをのせる。

ポイント
洋風のチーズが和風の味わいに大変身。不思議と旨いミスマッチの速攻おつまみ。

［材料１人分］
クリームチーズ ・・・・・・・・40g
しょうゆ・おろしわさび ・・各少々

ピクルス

一 きゅうりは両端を切り落とし、長さ4cmに切って縦に4つ割りにする。

二 玉ねぎはくし形に切ってバラバラにほぐし、プチトマトはヘタを取り、竹串で2箇所ほど穴を開ける。

三 ピクルス液の材料を鍋に入れて*ひと煮立ちさせ、熱いうちに野菜を漬ける。粗熱が取れたら冷蔵庫に入れ、4時間以上漬け込む。

ポイント 密閉容器に入れて冷蔵庫で保存すれば、1〜3カ月はもつ。

[材料4人分]

きゅうり …………… 2本
玉ねぎ …………… 1個
プチトマト ………… 12個

ピクルス液
- 砂糖 …………… 大さじ3
- 塩 …………… 小さじ1
- 酢・水 ………… 各1カップ
- 黒こしょう(粒) …… 6粒
- ローリエ ………… 1枚

サラダ

質のよくないベーコンは、焼いてもカリカリにならないので注意。ほうれん草は生食できるサラダ用のものを使おう。

生ほうれん草とカリカリベーコンのサラダ

[材料2人分]

生ほうれん草(サラダ用)	3株
ベーコン	2枚
サニーレタス(あれば)	1枚
塩・こしょう	各少々
粉チーズ	大さじ1
レモン汁	小さじ2
オリーブ油	大さじ1

ベーコンは終始弱火でじっくり加熱する。

㊀ ベーコンは適当な長さに切り分け、火をつける前のフライパンに入れて弱火にかける。カリカリに焼けたらペーパータオルに取って余分な脂をきり、キッチンバサミで1cm幅に切る。

㊁ ほうれん草とサニーレタスは洗って水けをきり、ざく切りにする。

㊂ ボールにすべての材料を入れ、和える。

ポテトサラダ

一　じゃがいもは洗ってぬれたままラップに包み、電子レンジで2分30秒加熱する。熱いうちに皮をむき、ボールに入れてすりこぎなどで粗くつぶす。

二　玉ねぎは薄切りにして塩少々をふり、きゅうりは薄い小口切りにして塩少々をふり、どちらもしんなりしたら水けを絞る。ハムは1cm角に切る。

三　二を一に入れ、Aを加えて和える。

ポイント
つくりたてが一番旨いが、冷蔵庫で冷たく冷やしてからでも最高に旨い。

［材料１人分］
じゃがいも ……………１個(150g)
玉ねぎ ………………… $\frac{1}{4}$ 個
きゅうり ………………… $\frac{1}{2}$ 本
ハム ……………………３枚

A
マヨネーズ ………大さじ $1\frac{1}{2}$
塩・こしょう ……各少々

トマトとモッツァレラチーズのサラダ（カプレーゼ）

一 トマトはヘタを取り、厚さ7㎜くらいにスライスする。

二 モッツァレラチーズも同じくらいの厚さの輪切りにする。

三 皿に、トマト、モッツァレラチーズ、生バジルの葉を交互に並べ、塩、こしょうをふってオリーブ油を回しかける。

ポイント
オリーブ油は何でもいいが、質のよいエクストラバージン・オリーブ油ならなお旨い。

［材料2人分］
トマト……………………1個
生モッツァレラチーズ……1個
生バジルの葉……………1枝
塩・こしょう……………各少々
オリーブ油………………大さじ1

きんぴらサラダ

㊀ ごぼうはタワシで洗って表面の薄皮を取り、皮をむいたにんじんとともに千切りにする。

㊁ フライパンにごま油を熱し、中火でごぼうがしんなりするまで炒めてにんじんを加え、全体がしんなりするまで炒める。

㊂ Aを加え、水けがなくなるまで炒めて火を止め、冷めてからBで和える。好みで七味唐辛子をふっても。

［材料２人分］

ごぼう……………１本(100g)
にんじん…………5㎝(50g)
ごま油……………大さじ１
A
- 砂糖……………小さじ１
- しょうゆ…………小さじ２

B
- マヨネーズ………大さじ１
- 白煎りごま………小さじ２

七味唐辛子…………適量

豆腐と水菜のカリカリじゃこサラダ

一 豆腐は1cm角に切り、水菜は長さ4cmくらいのざく切りにする。プチトマトはヘタを取り、4つ割りにする。

二 フライパンにごま油とちりめんじゃこを入れて弱火にかけ、カリカリになるまで炒める。

三 ボールに一を入れ、混ぜておいたドレッシングで和えて器に盛り、二をのせる。

［材料2人分］

豆腐 …………… ½丁
水菜 …………… 3株
ちりめんじゃこ …… 20g
プチトマト ……… 4個
ごま油 ………… 小さじ2

ドレッシング
- 砂糖 ………… 小さじ½
- しょうゆ ……… 小さじ2
- 酢 …………… 小さじ2

ホタテと切り干し大根のサラダ

［材料 2 人分］

ホタテの缶詰め（小）……… 1 缶
切り干し大根 ……………… 25g
貝割れ大根 ………………… 1 パック
A
マヨネーズ・オリーブ油 …各大さじ 1
レモン汁 ………………… 小さじ 2
塩・こしょう …………… 各少々

ひたひたのつけ汁に15分ほどつけて戻す。

㈠ ホタテは缶汁をきってほぐしておき、切り干し大根は水とホタテの缶汁で戻して、水けをきる。

㈡ 貝割れ大根は根を切り落としてざく切りにする。

㈢ ボールに一、二を入れ、混ぜておいたAで和える。

ポイント

切り干し大根のややしっとりした歯ごたえとホタテの風味がマッチ。大根の千切りではなく、切り干し大根でつくるのがミソ。

ツナとカッテージチーズのサラダ

一 コンキリエは袋の表示よりもやや長めに、やわらかめにゆでる。黒オリーブは縦半分に切る。ツナ缶は缶汁をきる。

二 器にマヨネーズと玉ねぎのみじん切りを混ぜ合わせ、3分おく。

三 ボールに一、二、カッテージチーズを入れて混ぜ合わせ、塩、こしょうで味*をととのえる。

ポイント 使うコンキリエは大きめのタイプを選ぼう。混ぜるとパスタの内側に具が入り込んで旨い。

[材料２人分]

ツナ缶(小・ノンオイルタイプ) ････１缶
カッテージチーズ ･･････････100g
コンキリエ(貝殻の形のパスタ) ･･30g
黒オリーブ(種ぬき) ･･････････10個
マヨネーズ ･･････････大さじ２
玉ねぎのみじん切り ･･$\frac{1}{4}$個分
塩・こしょう ･･････････各少々

チャーシューと青ねぎのサラダ

㈠ チャーシューは、短冊切りにする。

㈡ 万能ねぎは、ざく切りにする。

㈢ ボールにAを入れて混ぜ合わせ、一、二を加えて和える。

[材料2人分]
チャーシュー(市販) ‥100g
万能ねぎ ‥‥‥‥‥‥‥ 5本
A
砂糖 ‥‥‥‥‥‥‥ひとつまみ
しょうゆ・ごま油 ‥各小さじ2
酢 ‥‥‥‥‥‥‥‥小さじ1
豆板醤 ‥‥‥‥‥‥小さじ$\frac{1}{6}$
しょうがのみじん切り・
にんにくのみじん切り
‥‥‥‥‥‥‥‥各小さじ$\frac{1}{2}$

白菜とひじきのサラダ

㊀ 白菜は5㎜幅の千切りにして塩少々をふり、しんなりしたら水けを固く絞る。ひじきは*たっぷりの水に20～30分つけて戻し、ザルに上げて水けをきる。

㊁ 溶き卵に砂糖と塩を加えて混ぜ、フライパンにサラダ油を熱して煎り卵をつくる。

㊂ ボールに一、二を入れ、混ぜておいた合わせ酢で和える。

[材料2人分]

白菜	2枚
ひじき	5g
溶き卵	1個分
砂糖	小さじ1
塩	ひとつまみ
サラダ油	少々
合わせ酢	
砂糖	小さじ1½
塩	小さじ⅓
酢	大さじ1½

マカロニサラダ

㈠ マカロニは袋の表示よりも長めに、やわらかめにゆでる。

㈡ きゅうりとにんじんは同じくらいの大きさの短冊切りにし、にんじんは塩*ゆでする。玉ねぎは薄切りにして塩（分量外）少々をふって軽くもみ、しんなりしたら水けを絞る。ハムは角切りにする。

㈢ ボールにすべての材料を入れて、和える。

［材料２人分］

マカロニ	30g
きゅうり	½本
にんじん	2㎝（20g）
玉ねぎ	¼個
ハム	4枚
マヨネーズ	大さじ3
塩・こしょう	各少々
練りがらし	小さじ⅓

たこと里芋のやわらか煮

[材料４人分]
ゆでだこの足（大きめ）‥４本
里芋‥‥‥‥‥‥‥‥４個
塩‥‥‥‥‥‥‥‥‥小さじ２
しょうゆ‥‥‥‥‥‥大さじ１
みりん‥‥‥‥‥‥‥大さじ２
だし汁‥‥‥‥‥‥‥７カップ
さやえんどうの塩ゆで（あれば）
‥‥‥‥‥‥‥‥‥‥少々

㊀ 里芋は皮を包丁で厚めにむく。

㊁ 鍋にすべての材料を入れて火にかけ、沸騰したら煮立たない程度の弱火にする。

㊂ たこがやわらかくなるまで、２時間以上*コトコト煮る。味をみながら、煮汁が濃い味に*煮詰まったら、そのつど水またはだし汁を足して、*味をととのえる。器に盛り、さやえんどうをあしらう。

煮立てないようにして、じっくり煮込む。

かむほどに味が出るたこの食感とだしを含んだ里芋のまったりとした味わいは絶品。

枝豆のしょうゆ煮

㈠ 枝豆は両端をキッチンバサミで切り、ボールに入れる。塩をふって手でもんで産毛を取り、水洗いしてザルに上げる。

㈡ 鍋にAを入れて煮立たせ、枝豆を入れて中火で好みの固さ（2分30秒前後）にゆでる。

㈢ 火を止めて、ゆで汁につけたまま3分ほどおき、冷まして味をなじませる。

キッチンバサミで両端を切る。

［材料2人分］

枝豆……200g
塩……小さじ2
A
しょうゆ……1/3カップ
水……1/2カップ

あさりの酒蒸し

一 あさりは砂出しして、殻をこすり合わせるようにして洗い、水けをきって鍋に入れる。

二 酒を加えてふたをし、中火にかける。

三 あさりの口が開いたらふたを取り、しょうゆを加えてひ*と煮し、汁ごと器に盛って万能ねぎを散らす。

ポイント
あさりの砂出し／ひたひたの塩水（水1カップに対して塩小さじ1/3が目安）につけて、暗いところに1〜2時間おく。

［材料2人分］
あさり（殻つき）……200g
酒……大さじ3
しょうゆ……小さじ2
万能ねぎの小口切り……少々

いか大根

㈠ 大根は皮をむき、厚さ1㎝の半月切りにする。米と一緒に鍋に入れてた*っぷりの水を注ぎ、中火にかけて5分ほど下ゆでしてザルに上げ、水洗いする。

㈡ いかは胴から足を内臓ごとはずして軟骨を抜き、足は食べやすく切り分けて、胴は輪切りにする（158頁）。

㈢ 別の鍋に一と二、Aを入れて沸騰させ、弱火にしてア*クを取りながら20分ほど煮る。

［材料3～4人分］

いか（刺身用）……1パイ（200g）
大根……5㎝（200g）
米……大さじ1

A
- 酒……大さじ3
- 砂糖……大さじ1
- しょうゆ……大さじ2
- しょうがの薄切り……3枚
- 水……1½カップ

鯛の昆布蒸し

一　昆布は水でさっとぬらして、やわらかくする。

二　鯛は全体に塩を薄くふって昆布にのせ、耐熱皿にのせて酒をふりかけ、ラップをかける。

三　電子レンジで2分30秒~3分加熱する。器に盛って長ねぎをのせ、しょうゆ、すだちを添える。

［材料１人分］

鯛の切り身	１切れ	酒	大さじ１
昆布（５×８㎝）	１枚	長ねぎの千切り	少々
塩	少々	しょうゆ・カットすだち	各適量

もつ煮込み

アクを取りながら1時間ほどゆでる。

［材料4～6人分］

豚白もつ……………200g

A
- 酒……………1/2カップ
- 長ねぎの青い部分……1～2本
- しょうがの薄切り……3枚

大根……………2～3cm（100g）

にんじん……………1/2本

こんにゃく……………1/4枚

ごぼう……………1/2本（50g）

だし汁……………3カップ

みそ……………大さじ3

B
- 長ねぎの小口切り・七味唐辛子……………各適量

㊀ 鍋に豚白もつを入れ、たっぷり*の水とAを入れて火にかける。煮立ったらアク*を取り、弱火にして1時間ほどゆでる。

㊁ 白もつがやわらかくなったらゆで汁を捨て、ザルに上げて水洗いする。

㊂ 大根は皮をむいていちょう切り、にんじんは皮をむき半月切りにする。ごぼうはタワシで洗って表面の薄皮を取り、小口切りにする。こんにゃくは下ゆでしてアク抜きし、1cm角に切る。

㊃ 洗った鍋にだし汁を入れ、二、三を加えて10分ほど煮る。野菜がやわらかくなったらみそを溶き入れ、ひと煮*する。器に盛り、Bを散らす。

25

まいたけのしょうゆバター

一 まいたけは、食べやすい大きさに割く。

二 フライパンを熱してバターを溶かし、まいたけを入れてしんなりするまで中火で炒める。

三 Aを加えてふたをし、弱火で1分ほど蒸す。器に盛り、万能ねぎを散らす。

［材料2人分］
まいたけ ……………… 1パック（100g）
バター ………………… 大さじ1（12g）
A
　酒 ……………………… 大さじ1
　しょうゆ …………… 大さじ½
万能ねぎの小口切り ‥ 少々

アレンジ
しめじ、しいたけ、えのきだけ、エリンギなど、きのこ類なら何でもおいしくつくれる。

さんまのしょうが煮

一 さんまは頭と尾を切り落として長さ3㎝の筒切りにし、内臓を除いて真水で水洗いする。

二 鍋にさんまを立てて並べ、Aを加えて強火で沸騰させる。

三 煮立ったら弱火にして落*しぶたをし、煮汁がやや残るくらいまで煮*詰める。器に盛り、しょうがの千切りをあしらう。

ポイント
使う鍋はさんまが隙間なく入るくらいの小さめのものがあると便利。

［材料2人分］
さんま……………2尾
A
　酒………………½カップ
　しょうゆ………大さじ1½
　みりん…………大さじ1
　しょうがの薄切り……3枚
しょうがの千切り……½かけ分

豚角煮大根

㊀ 豚肉は4等分して鍋に入れ、Aと*かぶるくらいの水を加えて火にかける。煮立ったら*アクを取り、弱火で2～3時間、下ゆでする。

㊁ 肉がやわらかくなったら火を止め、そのまま冷ます。冷めたら、鍋の表面にたまった脂と長ねぎ、しょうがは取り除く。

㊂ 大根は皮をむいて厚さ5㎝の輪切りにし、さらに半分に切る。別の鍋に大根と米、*かぶるくらいの水を入れ、大根がやわらかくなるまで20分下ゆでし、水洗いする。

㊃ 二に三を入れてBを加え、火にかけて煮立ったら弱火にし、*落しぶたをして1時間～1時間30分煮る。煮汁が鍋底から3㎝ほどの高さになれば、でき上がり。器に盛り、好みで練りがらしをのせオクラを添える。

ポイント

時間はかかるが、食べたときの旨さと満足度は格別。のんびり気長に一日がかりでつくってみよう。

※密閉容器または保存袋に入れて冷蔵庫で1週間はもつ。

［材料4人分］
豚バラ肉（固まり）‥‥600g
A
　泡盛（または酒）‥‥½カップ
　長ねぎの青い部分‥少々
　しょうがの薄切り‥3枚
大根‥‥‥‥‥‥‥‥½本
米‥‥‥‥‥‥‥‥‥大さじ1
B
　砂糖‥‥‥‥‥‥‥大さじ2
　しょうゆ‥‥‥‥‥大さじ4
練りがらし‥‥‥‥‥適量
オクラの塩ゆで‥‥‥適量

鶏レバーの甘辛煮

一 レバーは3cm角くらいに切る。

二 鍋にAを入れて煮立て、レバーを加えて2分ほど煮る。

三 水溶き片栗粉を少しずつ混ぜながら加え、とろみがついたらでき上がり。器に盛ってしょうがをのせ、好みで七味唐辛子、粉ざんしょうなどをふる。

ポイント とろみの膜がレバーの水分が逃げる(=固くなる)のを防ぐため、いつまでもやわらかいまま食べられる。

[材料2人分]

鶏レバー ……………250g

A
- 酒 ……………¼カップ
- しょうゆ・みりん ‥各大さじ3

水溶き片栗粉
- 片栗粉 …………小さじ1
- 水 ……………小さじ2

しょうがの千切り ‥‥少々

七味唐辛子・粉ざんしょう ……………各適量

鶏団子と厚揚げの煮物

一　ボールに鶏団子の材料を入れ、粘り気が出るまで手でよく混ぜて、ゴルフボールくらいの大きさに丸める。厚揚げは食べやすく三角形に切る。

二　鍋に水を入れて火にかけ、煮立ったら鶏団子を静かに入れる。団子が煮えて固まったら、厚揚げを加える。

三　再び煮立ったらアク*を取り、砂糖としょうゆを加えて落しぶたをし、弱火で20分ほど煮る。煮汁が鍋底から2cmほどの高さになれば、でき上がり。

［材料４人分］

鶏団子
- 鶏ひき肉（もも肉）……300g
- 卵……１個
- 片栗粉……大さじ１
- 長ねぎのみじん切り　10cm分

厚揚げ（小）……２枚
水……４カップ
砂糖……大さじ $1\frac{1}{2}$
しょうゆ……大さじ $2\frac{1}{2}$
みつば（あれば）……少々

焼き物

焼きなす

[材料2人分]

なす ……………………2本
しょうがのすりおろし ……小さじ½
削り節 …………………適量
しょうゆ ………………適量

熱くても、こうするとむきやすい。

㊀ なすはグリルまたは焼き網で、皮が焦げるくらいまで焼く。菜ばしで押さえてみて、全体がやわらかくなったらOK。

㊁ 竹串をヘタのほうから刺し、皮をむいていく。

㊂ ヘタを切り落として縦半分に切り、長さを半分に切る。皿に盛り、しょうが、削り節をのせ、しょうゆを添える。

そら豆の丸焼き

一 そら豆はグリルまたは焼き網で、黒く焦げるくらいまで両面を焼く。

二 さやから出して（好みで薄皮をむき）、塩をつけいただく。

三 さやの内側のねっとりした部分を、スプーンでこそげて食べてもおいしい。

［材料２人分］

そら豆 ……………10本

塩 ………………適量

おろし山芋の磯辺焼き

一 山芋は皮をむいてすりおろし、8等分して海苔にのせる。

二 フライパンにサラダ油を熱し、山芋を下にして焦げ目がつくまで中火で焼く。

三 裏返して海苔の面も焼いて器に盛り、しょうゆ、おろしわさびを添える。

［材料2人分］
山芋 ……………………120g
海苔（5㎝角） ………… 8枚
サラダ油 ………………小さじ2
しょうゆ・おろしわさび ‥適量

煎りぎんなん

一　ぎんなんは割らずにフライパンに入れ、弱火で殻に焦げ目がつくまで転がしながら*空煎りする。

二　ぎんなん割りで殻を割り、薄皮をむく。

三　塩をつけていただく。

ほどよく蒸し焼きになったら殻を割る。

［材料２人分］
ぎんなん（殻つき）‥‥20粒
塩‥‥適量

さざえのエスカルゴ風

一　さざえはフォークを刺してふたを取り、身を取り出す（162頁）。

二　身は粗く刻んで貝殻に戻し、にんにく、バターを一緒に詰める。

三　オーブントースターで汁が煮立つまで充分焼き、フランスパンを添える。

ポイント
エスカルゴ風にパンにのせ、バター汁をつけて食べる。

[材料２人分]
さざえ（小さめ）　……………２個
にんにくのすりおろし　‥小さじ1/3
バター　…………………小さじ２（8g）
フランスパンの薄切り　‥適量

アレンジ
にんにくバターの代わりに酒・しょうゆ各少々を入れて焼けば「さざえの壺焼き」に。

さけハラス焼き

一 ハラスは、生のものなら塩を強めにふって一晩おき、水けを拭く。塩蔵のハラスはそのまま使う。

二 グリルまたは焼き網で、余分な脂を落とすように中火で焼く。

三 こんがり焦げ目がついたら器に盛り、レモンを添える。

［材料２人分］
さけハラス ‥‥‥‥‥120g
塩・カットレモン ‥‥各適量

ぶりの塩焼き

一 ぶりはペーパータオルで水けをふき、焼く直前に塩をまんべんなくふる。

二 グリルまたは焼き網で、焦げ目がつくまで中火で両面を焼く。

三 こんがり焼けたら器に盛り、貝割れ大根を添える。

［材料２人分］
ぶりの切り身 ……… ２切れ
塩 ………………… 小さじ½
貝割れ大根 ………… 適量

手羽先のピリ辛焼き

［材料２人分］
鶏手羽先 ……………… 6本
たれ
　酒・しょうゆ ……… 小さじ2
　みりん ……………… 小さじ1
　豆板醤 ……………… 小さじ1/2
　にんにくのすりおろし・
　しょうがのすりおろし
　…………………… 各小さじ1/3

たれをもみ込んでしばらくおく。

㊀ ボールにたれの材料を混ぜ合わせ、手羽先を入れてよくもむ。

㊁ そのまま15分以上おく。

㊂ グリルまたは焼き網で、両面を中火で充分焼き、器に盛る。彩りにクレソンを添えても。

ポイント
辛さの調整は豆板醤の量で加減する。

つくね焼き

㈠ つくねの材料をボールに入れ、粘りが出るまでよく混ぜて4等分し、丸く形づくる。

㈡ フライパンにサラダ油を熱し、つくねを入れて両面に焦げ目がつくまで中火で焼く。

㈢ たれの材料を入れてからめ、とろみがつくまで*煮詰めたら火を止める。器にたれごと盛り、七味唐辛子をふって卵黄を添える（上からかけても）。

［材料２人分］

つくね
- 鶏ひき肉（もも肉）……200g
- 長ねぎのみじん切り……10cm分
- 卵……１個
- 片栗粉……大さじ１

サラダ油……大さじ１

たれ
- しょうゆ・みりん……各大さじ２

七味唐辛子……適量

卵黄……１個分

塩豚の網焼き

㊀ 豚肉は手で塩をすり込み、冷蔵庫に入れて一晩おく。

㊁ 薄切りにして、焼き網で焼く。グリルまたはフライパンで焼いてもＯＫ。

㊂ 器に盛って万能ねぎをたっぷりのせ、好みでレモン、練りがらしを添える。

ポイント
余った豚肉は冷蔵庫で１週間、冷凍用保存袋に入れて冷凍庫で１カ月はもつ。

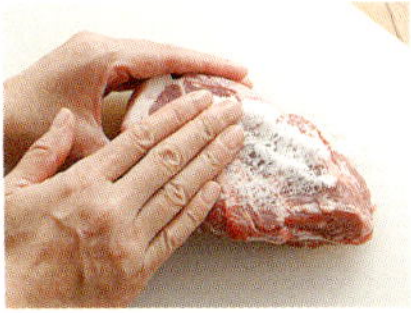

塩をよくすり込む。

[材料４人分]

豚肩ロース（固まり）	500g
塩	大さじ１
万能ねぎの小口切り	適量
カットレモン・練りがらし	各適量

塩焼きとり

㊀ もも肉、レバーは3㎝角くらいに切る。ハツは半分に切り、中にある血の固まりなどを取り除く。ししとうは竹串で2箇所ほど穴を開ける。

㊁ 一に塩をふり、焼き網またはグリルで強火で焼く。

㊂ 器に盛り、七味唐辛子を添える。

［材料2人分］

鶏もも肉 ……………… $\frac{1}{2}$枚
鶏レバー ……………… 60g
鶏ハツ ………………… 6個
塩 ……………………… 適量
ししとう・七味唐辛子 …… 各適量

ねぎ入り卵焼き

一 卵を割りほぐし、塩を加えて混ぜる。

二 フライパンにごま油を熱し、長ねぎを入れてしんなりするまで中火で炒める。

三 強火にして一を流し入れ、大きくかき混ぜて半熟になったら手前から巻いていって形づくる。片面に焼き色がつくまで焼いて、食べやすく切り、器に盛る。

［材料２人分］

卵	４個
長ねぎの粗みじん切り	½本分
塩	小さじ¼
ごま油	大さじ１

豚耳とセロリの炒め物

㊀ ゆでた豚耳は千切りにし、セロリは斜め薄切りにする。

㊁ フライパンにごま油を熱し、セロリをしんなりするまで中火で炒めて、にんにく、赤唐辛子、豚耳を加え、さらに炒める。

㊂ 香りが立ってきたら、塩、こしょうで味をととのえる。

水から下ゆでする。

［材料２人分］
豚耳（ゆでたもの）‥‥60g
セロリ ‥‥‥‥‥‥‥‥‥‥１本
にんにくの千切り ‥‥１かけ分
赤唐辛子（輪切り）‥‥少々
ごま油 ‥‥‥‥‥‥‥‥‥‥大さじ１
塩 ‥‥‥‥‥‥‥‥‥‥‥‥‥小さじ$\frac{1}{4}$
こしょう ‥‥‥‥‥‥‥‥‥少々

★豚耳の下ごしらえ

豚耳１～２枚を鍋に入れ、たっぷりの水と長ねぎの青い部分１～２本分、しょうがの薄切り２～３枚を加え、コトコト30分ほどゆでる。保存する場合は、小分けにして冷凍用保存袋に入れ、冷凍庫へ。

トマト炒め

一 トマトはヘタを取り、くし型に切ってから横に半分に切る。

二 フライパンにごま油を熱し、にんにくとトマトを入れ、強火でさっと炒める。

三 塩、こしょうをふって全体にからめ、器に盛る。

［材料１～２人分］

トマト ……………… １個
にんにくのみじん切り……小さじ１
ごま油 ……………… 大さじ１
塩 ………………… 小さじ$\frac{1}{3}$
こしょう ……………… 少々

にら玉キャベツ

一 にらは根元を切り落とし、3cmほどのざく切りにする。卵は割りほぐして塩、こしょうを加え、混ぜる。

二 フライパンにサラダ油を熱し、にらがしんなりするまで中火で炒める。卵を流し入れてかき混ぜ、半熟になったら裏返し、両面を焼く。

三 キャベツをしいた皿に二をのせ、マヨネーズ、ソースをかける。

ポイント
にら玉の熱でキャベツが蒸らされ、おいしくなる。食べた感じは、あっさり味のお好み焼き風。

[材料2人分]

にら	1束	サラダ油	小さじ2
卵	3個	キャベツの千切り	2枚分
塩・こしょう	各少々	マヨネーズ・お好みソース	各適量

煎りこんにゃく

一 こんにゃくは水から下ゆでして（沸騰してから約1分）アクを抜きし、両面に格子状に切れ目を入れ、ひと口大に切る。

二 フライパンにごま油を熱し、こんにゃくに焦げ目がつくまで両面をしっかり強火で焼く。

三 弱火にして、しょうゆ、みりんを加え、汁けがなくなるまで煎りつける。器に盛り、七味唐辛子をふる。

ポイント
強火で焼きつけることでより香ばしく仕上がる。調理中に出る多少の煙は我慢しよう。

[材料２人分]
こんにゃく……………½枚
ごま油・しょうゆ……各大さじ１
みりん………………小さじ１
七味唐辛子……………適量

ジャーマンポテト

一 じゃがいもは洗ってぬれたままラップに包み、電子レンジで2分30秒加熱して皮をむき、厚さ1cmほどの食べやすい大きさに切る。ソーセージは斜め薄切りにする。

二 フライパンを熱してバターを溶かし、玉ねぎがきつね色になるまで中火で炒める。

三 一を加えて焦げ目がつくまで炒め、塩、こしょう*で味をととのえる。器に盛り、パセリを散らす。

[材料2人分]

- じゃがいも …………1個
- 玉ねぎの薄切り ………¼個分
- ウインナーソーセージ ……2本
- バター ……………大さじ1(12g)
- 塩 ………………小さじ¼
- こしょう …………少々
- パセリのみじん切り(あれば) ………………少々

［材料２人分］

ゴーヤ	½本
豆腐	¼丁
ランチョンミート（181頁）	30g
溶き卵	１個分
塩	小さじ¼
こしょう	少々
ごま油	大さじ１

ゴーヤチャンプルー

㊀ ゴーヤは縦半分に切り、スプーンで種とワタを取って厚さ４㎜の小口切りにする。豆腐はペーパータオルで包んでしばらくおき、軽く水きりする。ランチョンミートは短冊切りにする。

㊁ フライパンにごま油を熱し、豆腐は切らずにそのまま入れ、菜ばしでひっくり返しながら全体に焦げ目がつくまで中火で焼く。

三 二をフライパンの片側によせ、空いたところにゴーヤを加えてしんなるするまで炒める。ランチョンミートも加え、豆腐をくずしながら炒め合わせる。

四 塩、こしょうをふり、溶き卵を流し入れてざっと混ぜる。

アレンジ
ランチョンミートは豚薄切り肉に代えても。

スプーンで種とワタを取る。

ホタテのバターしょうゆ焼き

一 ホタテは、火が通りやすいように横(厚み)に包丁目を切り離さないようにして入れ、小麦粉とこしょうを表面にまぶす。

二 フライパンを熱してバターを溶かし、ホタテの表面に焦げ目がつくまで強めの中火で焼く。

三 Aを加え、強火で煎りつけて器に盛る。

ポイント 冷凍ホタテを使う場合は、解凍して水けを拭き取ってから。

［材料２人分］

ホタテの貝柱(生・大きめ)‥４個
小麦粉……………………小さじ２
こしょう…………………少々
バター……………………大さじ１(12g)

A
酒……………………小さじ１
しょうゆ……………小さじ２

たこのガーリックソテー

㊀ たこはぶつ切りにする。Aは混ぜ合わせる。

㊁ フライパンにオリーブ油を熱し、たこを入れて強火で炒める。

㊂ Aを加えて1分ほど炒め合わせ、器に盛ってレモンを添える。

[材料2人分]

ゆでだこの足 …………150g
オリーブ油 …………大さじ2
カットレモン …………適量

A
にんにくのすりおろし　1かけ分
パン粉 …………大さじ4
パセリのみじん切り ‥大さじ2
塩 …………小さじ1/3
こしょう …………少々

いかのしょうが焼き

一 いかは胴から足を内臓ごとはずして軟骨を抜き、足は食べやすく切り分けて（158頁）、胴は切り開く。胴の皮目に包丁で切れ目を入れる。

二 フライパンにサラダ油を熱し、一を入れて中火で焼く。

三 皮の色が変ったらAを加え、強火にして煎りつける。器に盛り、しょうがのすりおろし（分量外）をのせる。

［材料２人分］

いか（刺身用）……… １パイ

サラダ油 ……………小さじ１

A
- 酒・しょうゆ ……各小さじ２
- しょうがのすりおろし ………………小さじ2/3

うにクレソン炒め

一　クレソンは根元を切り落とし、ざく切りにする。

二　フライパンを熱し、バター、にんにくを入れて中火で炒める。

三　クレソンを加え、しんなりしたらうにを入れて混ぜ、しょうゆで味をととのえる。器に盛り、フランスパンにのせていただく。

ポイント
うにはあたためる程度で、炒めすぎないのがポイント。

［材料2人分］
- クレソン ……………… 1束（50g）
- 生うに ……………… 30g
- バター ……………… 大さじ1（12g）
- にんにくのみじん切り　1かけ分
- しょうゆ ……………… 小さじ1½
- フランスパンの薄切り　適量

しらすとししとうのペペロンチーノ

［材料２人分］

しらす	50g
ししとう	8本
オリーブ油	大さじ3
にんにくのみじん切り	1かけ分
赤唐辛子（輪切り）	1本分
塩	小さじ1/4
こしょう	少々

アレンジ

しらすは生しらすでつくると、よりいっそう旨い。好みでオリーブ油をバターに代えても。

㊀ ししとうはヘタを取り、竹串で2～3箇所穴を開ける。

㊁ フライパンにオリーブ油、にんにく、赤唐辛子を入れて弱火にかけ、香りが立ってきたら、しらす、ししとうを加え、炒める。

㊂ ししとうがしんなりしたら、塩、こしょうで味*をととのえる。

豚にらキムチ炒め

一 豚肉、にら、白菜キムチは、ざく切りにする。

二 フライパンにごま油を熱し、豚肉を強火で炒める。豚肉に火が通ったら、にら、白菜キムチを加え、炒め合わせる。

三 にらがしんなりしたら、しょうゆを加えて味*をととのえ、器に盛る。

［材料２人分］
豚薄切り肉 …………80g
にら ………………１束
白菜キムチ …………50g
ごま油 ……………大さじ１
しょうゆ …………小さじ2/3

合鴨の塩焼き

一 長ねぎはぶつ切りにする。鴨肉は脂身を小さじ1ほど切り落とし、固まりの場合は削ぎ切りにして、焼く直前に塩をふる。

二 フライパンを熱し、一の脂身を入れて中火で溶かし、長ねぎをやわらかくなるまで炒めて、器に盛る。

三 強火にして鴨肉をさっと焼き、二の器に盛り、柚子こしょうを添える。

[材料2人分]

合鴨むね肉 ……………150g
長ねぎ ………………………1本
塩 ………………………小さじ$\frac{1}{3}$
柚子こしょう ……………適量

揚げ物

レバカツ

[材料２人分]

- 豚レバー …………150g
- 下味
  - 牛乳 …………大さじ２
  - ウスターソース ……小さじ２
- 衣
  - 卵＋水＝¾カップ
  - 小麦粉 …………１カップ
  - 塩 …………少々
- パン粉・揚げ油 ……各適量
- きゅうりの細切り・マヨネーズ・練りがらし・ソース ‥各適量

㊀ 豚レバーは厚さ5㎜の薄切りにし、下味に15分以上つける。汁けをきり、レバーの端に爪楊枝を刺す。

㊁ 衣の材料をボールに混ぜ合わせ、爪楊枝を持って㊀をくぐらせてパン粉をまぶす。

㊂ 170度に熱した揚げ油できつね色に揚げる。器に盛り、きゅうり、マヨネーズ、練りがらし、ソースを添える。

ポイント
衣の「卵＋水」は、計量カップに卵１個を割り入れ、¾カップ（150cc）の目盛りまで水を注ぐという意味（以下同）。

レバーに爪楊枝を刺す。

にんにくの丸揚げ・素揚げ

一　にんにくは、一つは丸のまま、もう一つは皮をむき、薄皮を取って粒に分ける。

二　丸のまま揚げる場合は、フライパンに＊かぶるくらいの揚げ油を入れて160度に熱し、竹串がスッと通るまでゆっくり揚げる。

三　皮をむいて揚げる場合は、揚げ油を170度くらいに熱して、浮き上がってくるまで揚げる。好みで、塩、みそを添える。

ポイント
丸のままと粒にむいて揚げるのでは、味と食感にかなりの違いがある。お試しあれ。

［材料３～４人分］

にんにく	２個
揚げ油	適量
塩・みそ	各適量

カマンベールチーズフライ

㊀ カマンベールチーズは、½個を4等分する。

㊁ それぞれ小麦粉をまぶして溶き卵につけ、パン粉をまぶす。

㊂ 180度に熱した揚げ油で、きつね色にさっと揚げる。

[材料2人分]
カマンベールチーズ……½個
小麦粉・溶き卵・パン粉‥各適量
揚げ油………………適量

いろいろ野菜の素揚げ

一　グリーンアスパラは根元の固いところを切り落とし、半分に切る。ごぼうはタワシで洗って表面の薄皮を取り、5㎝くらいに切って太いところは縦に4つ割りにする。

二　山芋は皮をむき3㎝角に切る。なすはヘタを取り縦に4つ割りにして長さを半分に切る。ししとうはヘタを取り竹串で2〜3箇所穴を開ける。

三　揚げ油を160度に熱し、ごぼうは2分ほど、山芋はきつね色に色づくまで、その他の野菜は30秒ほど揚げる。油をきって器に盛り、塩をまぶす。

アレンジ
さやいんげん、おくら、とうもろこし、かぼちゃ、にんじん、さつまいも、ピーマン、じゃがいも、ズッキーニ、みょうが、れんこん、などでも。

［材料2人分］

グリーンアスパラ	2本
ごぼう	15㎝
山芋	5㎝
なす	1本
ししとう	6本
塩・揚げ油	各適量

カレーコロッケ

一 耐熱容器に玉ねぎを入れてバターをのせ、ラップをかけて電子レンジで1分30秒加熱する。

二 じゃがいもは洗ってぬれたままラップに包み、電子レンジで5分加熱して熱いうちに布巾などで包んで皮をむき、ボールに入れてすりこぎなどで粗くつぶす。一とAを加え、6等分して丸める。

三 衣の材料を別のボールに混ぜ合わせ、二をくぐらせてパン粉をまぶし、170度に熱した揚げ油できつね色に揚げる。

[材料2〜3人分]

じゃがいも …………2個
玉ねぎのみじん切り ‥1/4個分
バター ……………大さじ1
A
- カレー粉 …………小さじ2
- 牛乳 ……………大さじ1 1/2
- 塩・こしょう ……各少々

衣
- 卵十水＝3/4カップ(81頁)
- 小麦粉 …………1カップ
- 塩 ……………少々

パン粉・揚げ油 ……各適量

あじフライ

［材料２人分］

あじ……………………２尾
塩・こしょう……………各少々
衣
- 卵十水＝$\frac{3}{4}$カップ（81頁）
- 小麦粉………………１カップ
- 塩……………………少々

パン粉・揚げ油…………各適量
A
- キャベツの千切り・練りがらし……………………各適量
- ウスターソース・しょうゆ……………………各適量

㊀ あじは3枚におろし（160頁）、両面に塩、こしょうをふる。

㊁ 衣の材料をボールに混ぜ合わせ、㊀をくぐらせてパン粉をまぶす。

㊂ 170度に熱した揚げ油で、きつね色に揚げる。器に盛り、好みでAを添える。

さばいて塩、こしょうをふる。

衣をたっぷり両面につける。

パン粉はかなりしっかりとまぶす。

小あじの南蛮漬け

一　小あじは頭から斜めに切り落とし、水洗いして水けをきる。しょうゆをまぶして水けを拭き、小麦粉をまぶして170度に熱した揚げ油で揚げる。

二　ボールに漬け汁の材料を混ぜ合わせ、Aを入れる。

三　揚げたてのあじは、熱いうちに二に30分以上漬け込む。冷蔵庫で冷やしても旨い。器に盛り、青じそをのせる。

頭から肛門まで
斜めに切る。

［材料２人分］

小あじ ……………… 10尾
しょうゆ …………… 小さじ１
小麦粉・揚げ油 ……… 各適量
漬け汁
　砂糖 ……………… 大さじ２
　塩 ………………… 小さじ$\frac{1}{3}$
　しょうゆ ………… 小さじ１
　酢・水 …………… 各$\frac{1}{2}$カップ
A
　玉ねぎの薄切り …… $\frac{1}{4}$個分
　みょうがの斜め薄切り … １個分
青じその千切り ……… 適量

たこの唐揚げ

一 たこはぶつ切りにして、下味に20分以上つける。

二 汁けをきって小麦粉をまぶし、180度に熱した揚げ油でカラッと揚げる。

三 ペーパータオルに取って油をよくきり、器に盛り、すだちを添える。

揚げる前に下味をつける。

［材料２人分］

ゆでだこ …………150g

下味

└酒・しょうゆ ……各小さじ２

小麦粉・揚げ油 ………各適量

カットすだち（またはレモン）‥適量

いかの唐揚げ

㊀ いかは胴から足を内臓ごとはずして軟骨を抜き、足は食べやすく切り分けて、胴は輪切りにする（158頁）。下味に20分ほどつける。

㊁ 汁けをきって小麦粉をまぶし、170～180度の高温に熱した揚げ油でカラッと揚げる。

㊂ ペーパータオルに取って油をきり、器に盛り、すだちを添える。

ポイント 揚げ油の温度が低いとベタついた仕上がりになるので注意。

［材料2人分］

いか（刺身用）……… 1パイ

下味

└酒・しょうゆ …… 各大さじ1

小麦粉・揚げ油 ………… 各適量

カットすだち（またはレモン）‥ 各適量

鶏の唐揚げ

一 鶏肉は4cm角に切り、ボールに下味の材料とともに入れてまんべんなくもみ込み、20分ほどおく。

二 軽く汁けをきって小麦粉をまぶし、余分な粉ははたく。

三 170度に熱した揚げ油で揚げる。上下を返しながら、浮き上がってきたらペーパータオルに取って油をきる。

ポイント
下味に卵を加えることで、旨みを逃さず、やわらかジューシーに仕上がる。

浮き上がってきたら引き上げる。

［材料2人分］
- 鶏もも肉 …………… 1枚
- 下味
  - 溶き卵 …………… $\frac{1}{2}$個分
  - 酒・しょうゆ …… 各小さじ2
- 小麦粉・揚げ油 …… 各適量

鶏軟骨のカレー風味揚げ

一 鶏軟骨は下味をまぶして20分ほどおく。

二 小麦粉をまぶし、180度に熱した揚げ油でカラッと揚げる。

三 器に盛り、素揚げにしたグリーンアスパラを添える。

ポイント 揚げすぎると、身が縮んでしまうので注意。

［材料２人分］

鶏軟骨（やげん）……150g

下味
- 酒・しょうゆ……各小さじ２
- カレー粉……小さじ$1\frac{1}{2}$

小麦粉・揚げ油……各適量

グリーンアスパラ……適量

串カツ

一 豚肉は2㎝角に切り、玉ねぎは肉の大きさに合わせて切る。竹串に豚肉と玉ねぎを交互に刺し、塩、こしょうを軽くふる。

二 衣の材料をボールに混ぜ合わせ、一をくぐらせて、パン粉をまぶす。

三 170度に熱した揚げ油で上下を返しながら揚げる。キャベツをのせた器に盛り、混ぜ合わせたソースを添える。

［材料4本分］

- 豚バラ肉（固まり） ……100g
- 玉ねぎ ……$\frac{1}{4}$個
- 塩・こしょう ……各少々
- キャベツのざく切り ……適量
- 衣
  - 卵 ……1個
  - 水 ……$\frac{1}{4}$カップ
  - 小麦粉 ……1カップ
  - 塩 ……少々
- パン粉（細かいもの）・揚げ油 ……各適量
- ソース
  - ウスターソース ……90cc
  - 水 ……大さじ2

和え物

郵 便 は が き

料金受取人払

牛込局承認

7444

差出有効期間
平成21年3月
31日まで
(切手不要)

162-8790

東京都新宿区弁天町43

株式会社池田書店
営業部　行

ご記入いただいた住所やE-Mailアドレスなどに、新刊案内などをお送りする場合があります。
ご希望でない場合ご記入は不要です。ご記入いただいた個人情報は、使用目的以外での利用はいたしません。

ご住所 〒
勤務先／自宅

お名前　　男・女
年齢　　歳

E-Mailアドレス
電話　　FAX

ご職業　□ 会社員(営業・技術・事務)　□ 公務員(事務・技術)
□ 自営業(　　　)　□ 教職員(小・中・高・大・その他)
□ 主婦　□ 無職・アルバイト　□ 学生　□ その他(　　　)

本書お買い上げの書店名

ご購読ありがとうございました。今後の出版企画の参考にしたいと存じますので、ぜひご意見をお聞かせください。

▼ お買い上げの書籍タイトル

おつまみ横丁　すぐにおいしい酒の肴185

●本書を購入した理由（複数回答可）

□ デザインがよかった　□ タイトルがよかった　□ 値段が手頃だった
□ ほしい情報が載っていた　□ わかりやすそうだった
□ その他（　　　　　　　　　　　　　　　　　　　　　　）

●本書に対する感想

内容・構成	□ とてもよい	□ よい	□ ふつう	□ わるい
カバーデザイン	□ とてもよい	□ よい	□ ふつう	□ わるい
本文レイアウト	□ とてもよい	□ よい	□ ふつう	□ わるい
本の大きさ	□ ちょうどよい	□ 大きい	□ 小さい	
文字の大きさ	□ ちょうどよい	□ 大きすぎて見づらい		
	□ 小さすぎて見づらい			
値段	□ 適当	□ 高い	□ 安い	

●本書に対しての感想

良かった点

悪かった点

●あなたの好きなおつまみ、よく作るおつまみレシピ、またアイデアやご要望などをお聞かせください。

ご協力ありがとうございました。

［材料１人分］
アボカド ……………½個
まぐろの刺身（赤身） ……50g
A
塩・にんにくのすりおろし
……………………各小さじ¼
こしょう・タバスコ ……各少々
マヨネーズ ……………小さじ２

アボカドとまぐろのメキシコ風

㈠ まぐろは２㎝角くらいに切る。

㈡ アボカドは種を取って（163頁）皮をむき、半量は２㎝角に切り、残りの半量はボールなどに入れてつぶしておく。

㈢ つぶしたアボカドにAを混ぜ合わせ、一と角切りにしたアボカドを加えて和える。

なすときゅうりのもみ柴漬け

㊀ なす、きゅうりはヘタを取り、みょうがとともに縦半分に切ってから、斜め薄切りにする。青じそは千切り、梅干しは種を取って粗く刻む。

㊁ ボールにすべての材料を入れ、水けが出るまで手で軽くもむ。

㊂ 水けを絞り、器に盛る。

［材料２人分］

なす	１本	青じそ	２枚
きゅうり	½本	梅干し	１個
みょうが	１個	塩	小さじ¼

いんげんのごま和え

㊀ さやいんげんは、あれば筋を取って塩*ゆでし、冷水にとって冷まして長さ4cmに切る。太いものは縦半分に切る。

㊁ ボールに和え衣の材料を入れ、混ぜる。

㊂ 一の水けをよく切り、二に入れて和える。

［材料2人分］
さやいんげん ……… 100g
和え衣
- すりごま ……… 大さじ1 1/2
- 砂糖 ……… 大さじ1/2
- しょうゆ ……… 大さじ1/2強

たたき酢ごぼう

一 ごぼうはタワシで洗って表面の薄皮を取り、長さ4㎝くらいに切って、太いところは縦に4つ割りか2つ割りにする。

二 鍋に一とAを入れて煮立て、歯ごたえのある程度に火が通ったら火を止め、そのまま冷ます。

三 ザルに上げて水けをきり、Bをまぶす。

[材料2人分]

ごぼう ……………½本(100g)

A
- 酢・水 ……………各¼カップ
- 砂糖 ……………大さじ1
- 塩 ……………小さじ¼

B
- すりごま ……………大さじ1
- 粉ざんしょう ……少々

かぶとスモークドサーモンの甘酢和え

㈠ かぶは洗って皮を厚めにむき、薄い半月切りにする。塩少々（分量外）をふり、しんなりしたら水けを絞る。

㈡ スモークドサーモンは短冊切りにする。

㈢ ボールに甘酢の材料を混ぜ合わせ、一と二を加えて和える。

［材料１人分］

かぶ	1個
スモークドサーモン	15g
甘酢	
酢	大さじ1
砂糖	小さじ1
塩	少々

たたききゅうりのポン酢和え

㈠ きゅうりはすりこぎなどでたたいてひびを入れ、両端のヘタを切り落とす。

㈡ 長さ5cmくらいに切り分け、手で割れるところは割って、固いところは包丁で縦に4つ割りにする。

㈢ 二をポリ袋（またはボール）に入れ、Aを加えて軽くもむ。

※168頁「きゅうりのバリバリ」、182頁「きゅうりの中華風酢漬け」も参照のこと。

まな板の上でたたいでひびを入れる。

［材料1人分］
きゅうり …………1本
A
ポン酢（市販） ……大さじ1 1/2
ごま油 …………小さじ1/2

ゆで豚のピリ辛ソース

一　豚肉は食べやすく切り、塩を加えた熱湯でゆでてザルに上げ、長さ5cmくらいに切る。

二　きゅうりはピーラー（皮むき器）で薄く削り、豚肉と同じくらいの長さに切る。ソースの材料は混ぜ合わせる。

三　器に二のきゅうりをしいて一を盛りつけ、ソースをかける。

［材料２人分］

豚バラ薄切り肉 ……100g
塩 ……………………少々
きゅうり ……………１本
ソース
　砂糖・酢・豆板醤・ごま油 ……各小さじ１
　しょうゆ …………大さじ１
　にんにくのみじん切り・しょうがのみじん切り ……各小さじ１
　長ねぎのみじん切り……大さじ４

あじのなめろう

㈠ あじは3枚におろし、腹骨と小骨を取って皮をはぐ（160頁）。

㈡ 一をまな板にのせ、大ざっぱにざく切りにする。

㈢ Aを加え、包丁でたたくように刻んで混ぜ合わせる。あじが5㎜角くらいになったらでき上がり。器に青じそ（分量外）をしき、盛りつける。

［材料1人分］

あじ（刺身用）…………1尾

A
- 青じその千切り……1枚分
- 長ねぎのみじん切り…5㎝分
- しょうがのみじん切り…小さじ1
- みそ……………小さじ1強

包丁で切りながら混ぜる。

おくらいか納豆

㈠ おくらは塩*ゆでして冷水に取って冷まして水けをきり、ヘタを切って小口切りにする。

㈡ いかは1cm角に切る。

㈢ 器に納豆と㈠、㈡、練りがらしを盛り合わせる。食べる直前にしょうゆをたらし、よく混ぜる。

［材料1人分］

おくら ……………2本
いかの刺身 …………30g
納豆(小) ……………1パック
練りがらし …………少々
しょうゆ ……………小さじ1

わけぎとあさりのぬた

一 わけぎは長さ4㎝くらいに切り、さっと塩ゆで*してザルに上げ、冷ます。あさりは小鍋に酒大さじ1（分量外）とともに入れ、中火にかけて火を通し、水けをきる。

二 別の小鍋に練りがらし以外の酢みその材料を入れ、ツヤが出るまで混ぜながら弱火で煮る。最後に練りがらしを加え、混ぜ合わせる。

三 ボールに一を入れ、二を小さじ2だけ加えて混ぜ、器に盛る。上から酢みそを適量をかける。

［材料2人分］

わけぎ ……………… 1束
あさり（むき身） ……… 80g
酢みそ
- 酢 ……………… 大さじ1
- 砂糖・みりん・みそ …… 各大さじ2½
- 練りがらし ………… 小さじ1

まぐろの山かけ

一 まぐろは2cm角に切る。

二 山芋は皮をむいてすりおろす。

三 器に青じそをしいて一、二、万能ねぎを盛り合わせ、おろしわさびをのせて、しょうゆを添える。

［材料1人分］
まぐろの刺身（赤身）‥‥50g
山芋‥‥‥‥‥‥‥‥‥3cm（30g）
青じそ‥‥‥‥‥‥‥‥1枚
万能ねぎの小口切り‥‥少々
おろしわさび・しょうゆ‥各適量

酢牡蛎

一　殻つきの牡蛎は、布巾で持って貝の隙間にナイフなどの固いものを差し込み、ひねってこじ開ける。貝柱がくっついているので、ナイフの先で削り取るようにして身をはずす。

二　一を塩水に入れて洗い、洗った殻に身を戻す。

三　レモン汁、しょうゆをかけて、好みの薬味でいただく。

ポイント　塩水は、水1カップに対し塩小さじ1/4くらいの濃度のもの。

隙間にナイフを差し込んでひねる。

[材料1人分]

牡蛎(生食用)　・・・・・・・・・・・・2〜4個
レモン汁(または酢)　・・・・・・各適量
大根おろし・赤唐辛子のすりおろし　・・・・・・・・・・・・・・・・・・・・・・各適量

お役立ちコラム

素材の活用と保存

キャベツの鮮度を保つ

キャベツの鮮度を長く保つには、買ってきてすぐに芯をくり抜くといい。そこに水を含ませた脱脂綿をつめて冷蔵庫に入れておけば、そのままよりもかなり長く保存できる。

レタスの鮮度を保つ

レタスは買ってきたらすぐに底の芯の部分に小麦粉をまぶし、その上からキッチンペーパーなどで包んで冷蔵庫に入れておけば、かなりみずみずしさを保つことができる。芯が茶色く変色していたら、その部分は包丁で削ってから。

すだちの汁を冷凍

すだちを多めに入手したら、傷む前にすだちの汁をしぼって冷凍しておくと便利。強くしぼると苦味が出るので、8割がたしぼったらアイストレーでキューブにしたり、板状に凍らせて、そのつど必要分だけ解凍して使う。

大根おろしのコツ

大根の辛み成分はしっぽのほうにより多く含まれるため、辛くない大根おろしが好みなら、首から$\frac{1}{3}$くらい上の部分を使おう。大根のうまみは皮により近い部分にあるため、皮ごとすりおろすというのはおいしく食べるためのコツ。また大根は、おろしてから5分たつとビタミンCが10%も減少し、みずみずしい香りも飛んでしまうので、食べる直前にすりおろすというのもポイントだ。

刺身のつまの大根

刺身のつまについている大根の千切りは、つい残しがちなもの。そこで、さっと洗って水けをきり包丁で短めに切っておくと、しょうゆもつけやすくて食べやすくなる。好みのドレッシングやマヨネーズをかけて食べてもいい。

いか刺し＋かつお塩辛

刺身用の新鮮ないかをできるだけ細く切り、瓶詰めのかつおの塩辛（酒盗）を少量加えて混ぜ合わせてみよう。

イラスト／みひら ともこ

酒の肴に最適な一品のでき上がり。

アンチョビのオイル

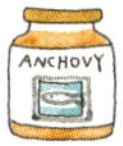

缶詰めや瓶詰めのアンチョビを使ったら、残ったオイルは捨てずに料理に使おう。自家製ドレッシングに混ぜたり、スパゲティに加えたり、キャベツを炒めたり。このオイルは上質なオリーブ油なので、料理の隠し味などに使うとアンチョビの風味が加わってよりおいしくなる。

あさりの保存方法

あさりは傷むのが早いので、買ってきた日に使わない場合は冷凍保存しよう。砂出し(39頁)してから殻をこすり合せるようにして流水できれいに洗い、水けをきって冷凍用保存袋に並べて入れ冷凍庫へ。

豆腐の保存方法

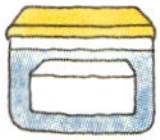

豆腐は90%が水分なので、水が汚れたり温度が変わったりするとすぐに鮮度が落ちてしまう。パックから出した豆腐は新しい水をはった密閉容器に移し、毎日水を替えながら冷蔵保存するようにしよう。

卵の保存方法

買ってきたらパックのまま冷蔵庫に入れないで、ちゃんと出して冷蔵庫の卵の棚に「先のとがったほうを下にして」入れよう。卵には気室という空気の部屋があり、これを下にすると空気が入りにくくなり、新鮮さが長く保てる。

パスタを揚げる

フライや天ぷらなどの揚げ物をしたあとは、スパゲティやマカロニなどのパスタを適当な大きさに折り、カリカリに揚げよう。味つけは塩・こしょうだけでもいいし、カレー粉をふったりすれば、ビールのおつまみに最適な一品に。

フランスパンが乾燥したら

時間がたってフランスパンが固くなってしまったら、水を数滴ふりかけてからアルミ箔で包んでオーブントースターであたためてみよう。中がしっとりしたおいしいフランスパンに戻る。

白ワインの活用法

白ワインの飲み残しをとっておいて料理に使う場合は多いが、長くおいて酸っぱくなってしまったものは、自家製ドレッシングの酢として使うと効果的。あまりのおいしさにきっと驚くはず。

米の保存方法

米の鮮度を保つには、ファスナーつきのポリ袋や密閉容器に小分けにして入れ、冷蔵庫の野菜室で保存するといい。おいしさと鮮度がぐっと長持ちする。

調理法・盛りつけ

野菜と魚の包丁使い

「野菜は押し包丁、魚は引き包丁」というように、野菜を切るときは包丁は押すようにして切り、魚を切るときは、包丁を手前に引くようにして切るのがコツ。

野菜を切るタイミング

肉や魚のように、野菜も鮮度を大切に調理したい素材の一つ。素材の風味、とくに香りは水分に弱いものが多く、水に長くつけていると風味がどんどん飛んでしまうので注意。野菜は料理する直前に洗って切り、すぐに調理するのがおいしく食べるためのコツだ。

固いかぼちゃの切り方

固くて切るのが大変なかぼちゃは、電子レンジを活用すると簡単に切れる。種とワタをスプーンで取り除いたら、皮つきのままラップで包み、100gにつき1分を目安に加熱してみよう。

山芋の皮をむく

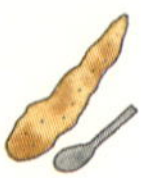

包丁ではむきにくい山芋は、スプーンを活用するとむきやすい。まず山芋をまな板において手で押さえ、スプーンの縁を使って薄く削っていく。スプーンなら曲がった部分など細部まで細かく欠き取ることができる。

にんにくの薄皮をむく

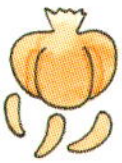

にんにくを一つ一つの粒に分けたあと、薄皮がくっついてなかなかむけないことがある。そんなときは熱湯をかけるとうまくいく。簡単につるっとむけるはずだ。

和え物のタイミング

和え物をおいしくつくるコツは、和えるタイミングにある。食べる直前に材料と衣を和えることが大切で、あらかじめ和えておいたりは絶対しないこと。和えてから時間がたつと、全体が水っぽくなったりして風味が損なわれる。

冷凍刺身の解凍方法

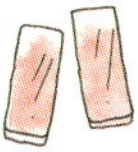

冷凍された刺身用のサク（切り分ける前の直方体の切り身）を上手に解凍するには「脱水シート」を活用してみよう。凍ったままのサクを脱水シートで包み、冷蔵庫の下段で自然解凍する。こうすると、まずさの原因となる血を含んだ赤い汁を十分に吸収し、刺身の旨みも損なわれず理想的な解凍ができる。

いかの皮のむき方

いかの皮むきは素手だとツルツルすべってむきにくいので、乾いた布巾でしっかりと持ち、皮を強めにひっぱってむくようにしよう。

魚を洗う水について

魚を洗うのに真水か塩水かどちらが適しているかというと、魚には腸炎ビブリオという細菌がついていることがあり、この細菌は塩水だと繁殖する恐れがあるので真水で洗うのが正解。それも流水でていねいに洗うことが大切だ。水道を流しっぱなしにして、開いた腹の中までよく洗おう。とくに青背の魚は細菌が繁殖しやすいので注意が必要。

魚のウロコ落とし

鯛などの魚のウロコを落とすには、専用の器具や包丁の背でこするというのが一般的だが、大根を使っても簡単に落とすことができる。大根は

首の部分でもシッポでも先端をやや斜めに切り落とし、その角を使って尾から頭に向かって少し力を入れてこすってみよう。これなら、固い道具を使うより魚を傷めずにウロコが落とせる。

魚のくさみ抜き

さば、ぶり、銀だらなどの生ぐさみが気になる魚は、調理する30分くらい前に塩少々をふっておき、出た水分はキッチンペーパーなどでしっかり拭き取るようにしよう。こうすると、生ぐさみもとれて身が引き締まり旨さもアップする。塩をふってから脱水シートに挟んでもいい。

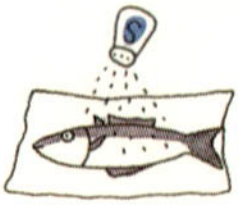

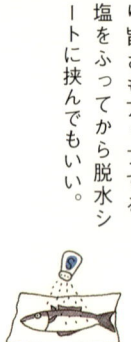

焼き塩をふるタイミング

焼き魚をおいしく焼くコツは、焼き塩は焼く直前にふるということ。まだ塩が溶けないうちに焼きはじめるぐらいでちょうどいい。まな板などに魚をおいたら塩を軽くひとつかみし、魚の上30㎝ほどの高さから両面まんべんなくふるようにしよう。

一尾魚の焼き方

焼き魚で一尾を丸ごと焼くときは、皮目に竹串でいくつか穴を開けておくといい。こうすると、焼いたときに穴から余分な水分が蒸発し、皮も破けずにきれいな仕上がりになる。

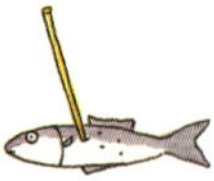

焼き網に酢をぬる

魚を焼く前に、焼き網にハケなどで酢をぬっておくと魚がくっつかない。酢が魚のたんぱく質を固める効果があるため、きれいに網からはずすことができる。

魚の開きを切る

あじやさんまの開きは、頭や尾をとってから食べやすい大きさに切ってから焼くといい。こうすると、一枚ずつ焼くより早くたくさん焼けるし、なんといっても食べやすい。たとえば人数分なかったとしても、これならおつまみとしても融通がきく。

たらこの焼き方

たらこは、焼き網やグリルに直にのせて焼くと焦げやすいし破裂しやすい。焦げ&破裂防止には、アルミ箔に包んで焼くといい。こうすれば全体に火がうまく回り、上手においしく焼くことができる。

煮魚をおいしく煮る

煮魚をおいしく煮るコツは、煮汁は必ず沸騰させてから魚を入れるということ。こうすると、魚の表面が急速に凝縮されるため旨みや栄養分が流れ出さない。反対に、煮汁が冷たい内から入れると、仕上がりが生ぐさくなる上、煮くずれもしやすくなる。

煮魚の鍋と煮汁

煮魚を煮る鍋は、底面積が広くあまり深さのない平鍋が適している。煮汁の分量は魚の厚みと同じくらいが適量で、煮汁が多すぎると身くずれしたり、逆に少なすぎると焦げつきの原因になる。また少ない煮汁の場合は「落しぶた（１６４頁）」をするというのも大切なポイントだ。

切り身魚の保存

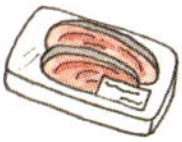

スーパーなどで売っている切り身魚は、一度冷凍したものを解凍して売っている場合が多いので、冷凍保存はなるべく避けたい。保存するには、脱水シートに包むか、塩をふってラップで包みビニール袋に入れるかして冷蔵保存しよう。しかし基本は翌日には食べきること。どうしても余ったときは、みそ漬けにするなどの工夫をしよう。

鶏肉・鴨肉の焼き方

鶏肉や鴨肉などを焼くときは、油はひかないで皮目から焼くのがコツ。鶏肉や鴨肉の脂肪は皮の下にあるため、皮目から焼くと最初に脂肪が溶けてすっきりと焼き上がる。皮の表面にフォークや竹串で数箇所穴を開けておけば、皮の縮みを防いで味や熱の通りもよくなる。

豆腐の水切り

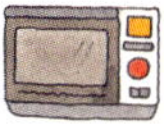

豆腐の水切りは、キッチンペーパーで包んで重しをおいてしてもいいが、

電子レンジを使えばもっと早くできる。キッチンペーパーで包んだら、1〜2分加熱するだけでOK。

卵を上手に割るコツ

卵を割るときによくやる、台などの角にぶつけて割るのはNG。卵は平らなところで中央部分をコツンと軽く当てて割るほうがいい。シンクなどの角で割ると、黄身がくずれたり砕けた殻が混じる原因になる。

麺類のゆで方

うどん、そば、そうめん、ひやむぎなどの乾麺は、たっぷりの湯を沸かし、ほぐすようにしてゆでるのがポイント。ほどよい固さになったらザルに上げ、流水でさっと洗ってぬめりをとる。ただし、そうめんだけは表面に食用油が塗ってあるため、ゆで上がったら流水にさらすだけでなく、洗濯するようにゴシゴシもみ洗いするようにしよう。

深さのある器の盛りつけ

深さのある器に魚介の刺身などを盛るときは、器の底面いっぱいを使わずに、なるべく余白を残すように盛りつけるのがポイント。さらに、器の深さに合わせて立体的に高く盛るようにすると、見た目にもバランスのよい一品になる。

小鉢の盛りつけ

和え物や煮物など小鉢物のおつまみの盛りつけは、少ないくらいでちょうどいい。小鉢に限らず、酒の肴はあまり量を盛り過ぎないことがポイントだ。

魚料理の盛りつけ

魚料理では、単品ものの盛りつけは器の余白を広めに残すようにすると見映えがよくなる。逆に2尾以上の複数の盛り合わせでは、重ねて立体的に盛るようにするのがポイントだ。

調理器具・台所回り

おろし金の裏技

おろし金（おろし器）を使う前に、すりおろす部分にラップまたはアルミ箔をしいておくと便利。大根やしょうがをおろしたあと、残りカスがラップごとはずせるし、あとで洗うの

も簡単に。

まな板の扱い方

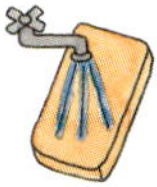

まな板は、使う前に洗うようなつもりで水をたっぷりかけるのがコツ。そうすると板の表面に水の膜ができ、魚や肉のにおいがしみ込みにくくなる効果がある。使い終わってから洗うときも、やはり湯よりも水で洗ったほうがにおいがよくとれる。

土鍋がもったら

土鍋にひびが入って水分がもるときは、米のとぎ汁をいっぱいにはって、一晩か二晩おいておくといい。こうすると、とぎ汁の中の細かい粉がひびにつまってもらなくなる。

鍋に残るにおい取り

魚を調理したあと鍋に残る洗ってもとれないような生ぐさみは、こうするととれやすい。まず普通に洗ったあとに鍋の3分の1くらいまで水をはり、お茶殻かコーヒーを淹れたあとの残りカスを入れ、沸騰させる。しばらくおいて冷ませば、すっかりにおいがとれているはず。

ガス台の掃除はビールで

ガス台の頑固な油汚れは、飲み残しのビールを使うとよく落ちる。使い古した布巾などにビールをしみ込ませて拭いてみよう。キッチン回りだけでなく、窓ガラスの汚れ落としにも効果がある。

電子レンジのにおい消し

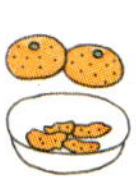

電子レンジの中は、使っているうちにさまざまなにおいがついているもの。そんなときは、みかんの皮を洗って水けをふき、皿にのせて2〜3分加熱するだけでにおいが簡単にとれる。

排水口のヌルヌル防止

流しの排水口は、放っておくとヌルヌル、ベタベタ。そんな排水口を掃除いらずにしてくれるのがアルミ箔。アルミは水がかかると金属イオンを発生し抗菌作用があるため、クシャクシャにして丸めた固まりを入れておくだけで、汚れがつかなくなる。

焼きみそ豆腐

一 みそと砂糖を混ぜて木べらなどにぬり、直火であぶって焼き色をつける。

二 豆腐はペーパータオルにのせて軽く水きりし、器に盛る。

三 二に一の焼きみそ、すりごまをのせる。

［材料１人分］
豆腐 ……………… $\frac{1}{2}$丁
みそ ……………… 大さじ１$\frac{1}{2}$
砂糖 ……………… 小さじ$\frac{1}{3}$
すりごま ………… 大さじ１

直火にかざしてあぶる。

ねぎ塩やっこ

一 長ねぎはできるだけ薄く斜め切り（または粗みじん切り）にしてボールに入れ、Aを加えて混ぜて、しんなりするまでおく。

二 豆腐はペーパータオルにのせて軽く水きりする。

三 器に二を盛り、一をのせる。しょうゆなどはかけずに、そのままの塩味でいただく。

ポイント
「ねぎ塩」は多めにつくって密閉容器に入れ冷蔵保存すれば1週間はもつ。豆腐以外にも、ゆで豚やタン焼き、白身魚の刺身などにのせても旨い。

［材料2人分］

豆腐……1丁
長ねぎ……$\frac{1}{2}$本

A
- 塩……小さじ$\frac{1}{2}$
- ごま油……大さじ1

黒こしょう（あれば）……少々

薬味いっぱいくずし豆腐

一 豆腐はペーパータオルにのせて軽く水きりする。

二 ボールに一を入れ、指で細かくくずす。

三 二にAを混ぜ合わせて器に盛り、もみ海苔をかけてしょうゆを添える。

ポイント 冷たく冷やした木綿豆腐でつくるのが旨さのコツ。

[材料2人分]

木綿豆腐 ……………… $\frac{1}{2}$丁

A

- 長ねぎのみじん切り ‥大さじ2
- みょうがの小口切り ‥1個分
- きゅうりのみじん切り ‥$\frac{1}{3}$本分
- しょうがのみじん切り ‥小さじ2
- 青じそのみじん切り ‥2枚分

もみ海苔・しょうゆ ‥‥各適量

油揚げの玉ねぎ詰め焼き

㈠ 油揚げの上に菜ばしをおき、両手で強く転がして全体をしごく。油揚げの長いほうの端を1cmほど切り落とし、破らないように注意して袋状に開く。

㈡ 開いた中に切り落とした端の部分を刻んで入れ、玉ねぎをたっぷり詰める。

㈢ オーブントースターで7～8分、こんがり焦げ目がつくまで焼く。食べやすく切って、Aを添える。

ポイント
玉ねぎは油揚げの中で蒸し焼きにされ、ほんのり甘～くなる。

菜ばしを強めに転がす。

［材料２人分］
油揚げ ………………1枚
玉ねぎの粗みじん切り ‥$\frac{1}{4}$個分
A
└練りがらし・しょうゆ ‥‥各適量

とりあえず
サラダ
煮物・蒸し物
焼き物
炒め物
揚げ物
和え物
豆腐
〆の一品
小鍋立て

煎り豆腐

一 豆腐はペーパータオルで包んでしばらくおき、軽く水きりする。

二 フライパンにごま油を熱し、豆腐をくずしながら加えて中火で炒める。鶏ひき肉を加え、全体がぱらぱらになるまでさらに炒める。

三 長ねぎを加えて、しんなりしたらAを入れ、溶き卵を流し入れて炒め合わせる。器に盛り、好みで七味唐辛子をふる。

［材料２人分］

木綿豆腐 ……………… $\frac{1}{2}$丁
ごま油 ……………… 大さじ１
鶏ひき肉 ……………… 50g
長ねぎの小口切り …… $\frac{1}{4}$本分
溶き卵 ……………… １個分
A
┃砂糖 ……………… 大さじ$\frac{1}{2}$
┃しょうゆ ………… 大さじ１強
七味唐辛子 ………… 適量

揚げだし豆腐

［材料２人分］

木綿豆腐・絹ごし豆腐 ………各1/2丁
小麦粉・片栗粉 ……………各大さじ２
揚げ油 ……………………適量
大根おろし ………………1/2カップ
市販のめんつゆ（かけ汁の濃さ）‥１カップ
万能ねぎの小口切り ………大さじ２

辞書くらいの重しをのせて水きりする。

一 豆腐は布巾やペーパータオルなどに包み、バットにはさんで重石をしてしばらくおき、水きりする。

二 小麦粉と片栗粉をよく混ぜ、半分に切った豆腐にまぶして、余分な粉ははたく。１８０度に熱した揚げ油で、やや焦げ目がつくまで揚げる。

三 二を器に盛り、大根おろしと万能ねぎをのせて、あたためためんつゆをかける。

ポイント 木綿と絹ごし、両方の豆腐の食感が楽しめる。

豆腐のきのこあん

一 豆腐は重石をして水きり（122頁）し、厚みを半分、大きさを半分に切って小麦粉をまぶす。きのこはすべて石づきを取り、しめじはほぐして、しいたけは薄切り、えのきだけは長さを半分に切る。

二 フライパンを熱してバターの半量を溶かし、豆腐の両面に焦げ目がつくまで中火で焼き、器に盛る。フライパンに残りのバターを足し、きのこをしんなりするまで炒める。

三 混ぜておいたAを二に入れ、しょうゆを加えて混ぜながら煮立てる。豆腐にかけて、万能ねぎを散らす。

［材料 2 人分］

豆腐 ……………… 1丁
小麦粉 …………… 大さじ 1
しめじ …………… 1 パック
生しいたけ ……… 2 枚
えのきだけ ……… ½パック
バター …………… 大さじ 2(24g)

A
- だし汁 …………… 1 カップ
- 片栗粉 …………… 小さじ 1

しょうゆ …………… 大さじ 1
万能ねぎの小口切り ‥大さじ 2

肉豆腐

一　豆腐は8等分に切る。牛肉はざく切り、長ねぎは斜め切りにする。

二　鍋に青ねぎ以外の材料をすべて入れて、中火にかける。煮立ったら*アクを取り、弱火にして*落しぶたをする。

三　*コトコト煮立つくらいの火加減で10分ほど煮て、器に盛る。好みで青ねぎをのせる。

［材料2人分］

豆腐 ……………… 1丁
牛薄切り肉 ……… 150g
長ねぎ …………… 1本
酒・水 …………… 各$\frac{1}{2}$カップ
砂糖 ……………… 大さじ1
しょうゆ ………… 大さじ1$\frac{1}{2}$
青ねぎの斜め切り …… 適量

焼き厚揚げ

一 厚揚げは、水けをペーパータオルで拭き取る。

二 オーブントースターで、表面がカリッとするまで焼く。

三 器に盛ってしょうがをのせ、しょうゆを添える。

ポイント
好みで、長ねぎやみょうがの小口切り、青じその千切り、削り節などの薬味を加えても。

［材料２人分］
厚揚げ（大）　…………１枚
しょうがのすりおろし……小さじ１
しょうゆ　……………適量

豆腐とあさりの煮物

㊀ 豆腐はひと口大に切る。長ねぎは、縦半分に切ってから長さ4㎝くらいに切る。

㊁ 鍋に㊀とあさり、だし汁を入れ、中火にかける。

㊂ 長ねぎがやわらかくなったらしょうゆを加え、塩で味をととのえる。

ポイント
殻つきあさり（砂出し済み）でつくる場合は、同様に煮て、あさりの口が開いたら調味する。

［材料2人分］

豆腐	1丁	だし汁	1カップ
あさり（むき身）	60g	しょうゆ	小さじ2
長ねぎ	1本	塩	小さじ1/3

〆の一品

卵納豆そば

［材料１人分］
ゆでそば ……………… １玉
卵 ………………………… １個
納豆（小） ………………… １パック
市販のめんつゆ（つけ汁くらいの濃さ）
………………………… ½カップ
万能ねぎの小口切り ……… 適量

菜ばしを４本使って、よくかき混ぜる。

㊀ ボールに卵と納豆を入れ、ふわふわになるまでよくかき混ぜる。

㊁ そばは熱湯にくぐらせてあたため、器に盛る。

㊂ 二にあたためためんつゆを注ぎ、一をかけて万能ねぎを散らす。食べるときは全体を混ぜて。

ぶっかけ薬味そうめん

㊀ そうめんは好みの固さにゆでて冷水に取り、ぬめりを取るように流水でゴシゴシ洗う。

㊁ めんが充分に冷えたらザルに上げ、水けをきって器に盛る。

㊂ Aを彩りよく盛りつけ、よく冷えためんつゆをかける。

ゴシゴシ洗って
ぬめりを取る。

［材料１人分］

そうめん ……………１束

市販のめんつゆ（かけ汁くらいの濃さ）……………………120㎖

A
- 白菜キムチ …………15g
- 青じその千切り ……２枚分
- きゅうりの千切り ……¼本分
- 万能ねぎの小口切り ‥２本分

ピリ辛塩焼きそば

㈠ 薬味みその材料を混ぜ合わせる。

㈡ フライパンにごま油を熱し、焼きそばを入れてほぐれるまで炒める。Aを加えて4～5cmに切った万能ねぎを入れ、さっと炒め合わせる。

㈢ 二を器に盛り、一をのせる。食べるときは全体を混ぜて。

ポイント
韓国唐辛子がない場合は、一味唐辛子を韓国唐辛子の1/6量で代用しても。

［材料１人分］
焼きそば（ゆで）……１玉
ごま油……大さじ１
A
- 酒……大さじ２
- 塩……小さじ1/4
- こしょう……少々

薬味みそ
- コチュジャン……小さじ１
- 韓国（粉）唐辛子……小さじ1/2
- にんにくのすりおろし・しょうがのすりおろし……各小さじ1/4
- しょうゆ……小さじ1/2
- ごま油……小さじ１

万能ねぎ……５～６本

鶏飯（けいはん）

［材料２人分］

鶏むね肉 …………………… ½枚
ご飯 ………………………… 300g
溶き卵 ……………………… １個分
塩 …………………………… 少々
サラダ油 …………………… 少々
きゅうり …………………… ½本
きゅうりのみそ漬け（あれば）‥ 20g
貝割れ大根 ………………… ¼パック
白煎りごま ………………… 少々
汁
- 鶏ガラスープの素（顆粒）‥‥ 小さじ½
- 水 ………………………… ３カップ
- 塩 ………………………… 小さじ⅓
- しょうゆ ………………… 小さじ１

一　溶き卵に塩を加えて混ぜ、フライパンにサラダ油を熱して薄焼き卵をつくり、千切りにする。きゅうりは千切り、きゅうりのみそ漬けは小口切り、貝割れ大根はざく切りにする。

二　鍋に鶏肉と汁の材料を入れて煮立て、*アクを取って弱火で5分煮る。肉に火が通ったら取り出し、手で細く割く。

三　器にご飯を盛り、具を彩りよくのせて二のゆで汁をかけ、白ごまをふる。

ポイント
鶏飯は、鹿児島県奄美大島の郷土料理。

鶏肉は汁で煮てから手で割く。

いくらご飯

一 筋子はぬるま湯の中でバラバラにほぐして、薄皮を取る。

二 ザルに上げて水けをきり、容器に入れてAを加え、冷蔵庫において1時間漬ける。

三 器にあたたかいご飯を盛り、いくらを適量かける。彩りに貝割れ大根をのせても。

ポイント

一晩おくと味がなじんでさらに旨い。多めにつくれば冷蔵庫で1週間はもつ。

[材料1人分／いくらはつくりやすい分量]

ご飯 ……………200g

生筋子（さけの卵巣）‥200g

A

- 酒 ……………大さじ1
- しょうゆ …………大さじ2
- みりん …………小さじ1

わさびおにぎり

㊀ あたたかいご飯をボールに入れ、わさび、しょうゆを加えて混ぜ合わせる。

㊁ 3等分して、小さめのおにぎりをつくる。

㊂ 大きめに切った海苔で包み、おろしわさびを適量（分量外）のせる。

［材料1人分］

ご飯	200g
おろしわさび	小さじ$\frac{1}{3}$
しょうゆ	小さじ1
焼き海苔	適量

アレンジ
おろしわさびは、市販の練りわさび（チューブ入り）でもＯＫ。

しょうがご飯

一 しょうがは千切りにする。

二 あたたかいご飯をボールに入れ、しょうが、塩を加える。

三 混ぜ合わせて、器に盛る。

ポイント
しょうがの千切りは、水にさっとくぐらせて水けをきってから混ぜると、味がまろやかになる。辛いのが苦手な人はこのように。

［材料１人分］
ご飯 ……………… 200g
しょうが ………… １かけ（５g）
塩 ………………… 小さじ$\frac{1}{4}$

すだちご飯

一 あたたかいご飯をボールに入れ、すだちの汁を絞って混ぜる。

二 もみ海苔、削り節、しょうゆを加えて混ぜ合わせる。

三 器に盛る。彩りとして、すだち、もみ海苔、削り節を適量（分量外）散らしても。

［材料１人分］

ご飯 ……………… 200g

すだち …………… $\frac{1}{2}$個

もみ海苔 ………… $\frac{1}{2}$枚

削り節 …………… 1g

しょうゆ ………… 小さじ１

小鍋立て

湯豆腐

㈠ 小鍋にだし昆布を入れ、水を7分目くらいまで入れる。昆布がのびたら旨みが出た合図、4㎝角に切った豆腐をのせる。

㈡ 小鍋を中火にかけ、煮立つ直前にとろ火にして、煮立たないようにする。

㈢ 器にたれの材料を入れ、鍋の煮汁で好みの味に薄めて、豆腐をつけていただく。

木綿豆腐×絹ごし豆腐

［材料１人分］
木綿豆腐・絹ごし豆腐 ‥各½丁
だし昆布（８㎝くらい）‥‥１枚
たれ
- 削り節 ‥‥‥‥‥‥‥２g
- 長ねぎの小口切り ‥‥５㎝分
- しょうゆ ‥‥‥‥‥‥大さじ１½

昆布は鍋にしきつめるくらい大胆に使うのが旨さの秘訣。豆腐がゆらゆらとゆれてきたら食べ頃に。煮すぎると昆布から苦みが出たり、豆腐にすが入るので注意。

油揚げ×長ねぎ

あぶすき

一　油揚げはザルに入れ、熱湯をかけて余分な油を抜き、4cm角くらいに切る。

二　長ねぎは縦半分に切り、長さ4cmくらいに切る。

三　小鍋にめんつゆを入れ、一、二を加えて長ねぎがやわらかくなるまで煮る。器に汁ごとよそって、好みで一味または七味唐辛子をふる。

熱湯をかけて油抜きする。

［材料１人分］

油揚げ　……………………１枚

長ねぎ　……………………１本

市販のめんつゆ（かけ汁よりやや薄め）

………………………………$2\frac{1}{2}$カップ

一味または七味唐辛子　‥適量

生だら×春菊

たらちり

一 たらはザルにのせて熱湯をかけ、臭み抜きしてぶつ切りにする。春菊は根元の固い部分を切り落とし、ざく切りにする。豆腐はひと口大に切る。

二 小鍋にA、たら、豆腐を入れて、中火にかける。

三 煮立ったらアクを取り、春菊を入れて、煮えたところから汁ごとよそっていただく。

［材料１人分］

生だらの切り身	１切れ
春菊	４本
豆腐	½丁
A	
だし汁	1½カップ
みりん	小さじ１
しょうゆ	小さじ２
塩	少々

熱湯をかけて臭み抜きする。

ぶり×長ねぎ

ぶりの水炊き

一 ぶりは厚さ7㎜の削ぎ切りにする。長ねぎは厚さ1㎝の斜め切りにする。

二 小鍋にAを入れ、長ねぎを入れて中火で煮立てる。

三 長ねぎがやわらかく煮えたらぶりを入れ、柚子の皮を散らす。煮えたところから器によそって、ポン酢や柚子こしょうなど好みの味つけでいただく。

［材料1人分］

ぶりの切り身	1切れ
長ねぎ	1本
A	
だし昆布（5㎝角）	1枚
水	3カップ
塩	小さじ$\frac{1}{3}$
柚子の皮の千切り	少々
ポン酢・柚子こしょう・七味唐辛子	各適量

アレンジ

ぶりは切り身ではなく、あらでつくっても旨い。その場合は、あらにたっぷりの塩をふってもみ込み、5～10分おいて、さっと水洗いしてから使う。

豆腐×卵

煮やっこ

一 豆腐は8等分くらいに切る。

二 小鍋に削り節をたっぷりしいて豆腐をのせ、砂糖、しょうゆを入れてふたをし、弱火にかける。

三 煮立ってから2分ほど煮て、豆腐から水分が出たら溶き卵を回し入れ、ふたをして卵が半熟になったらでき上がり。

ポイント
豆腐から出る水分だけで煮る濃厚な旨みが特徴。

［材料２人分］

絹ごし豆腐	１丁
溶き卵	２個分
削り節	３g
砂糖	大さじ $2\frac{1}{2}$
しょうゆ	大さじ４

水菜×はまぐり

水菜とはまぐりの鍋仕立て

［材料１人分］

水菜……………………３株

はまぐり（小）…………６個

A

- だし汁………………1½カップ
- みそ…………………大さじ½
- みりん………………小さじ１

一味または七味唐辛子…適量

㊀ 水菜は根元を切り落とし、ざく切りにする。はまぐりは砂出し（39頁）して、殻をこすり合わせるようにして水洗いする。

㊁ 小鍋にAを入れて煮立てる。

㊂ 一を入れて、煮えたたところから汁ごとよそっていただく。好みで一味または七味唐辛子をふっても。

まぐろ×長ねぎ

ねぎま鍋

一 長ねぎは長さ2.5cmくらいのぶつ切りにする。

二 小鍋にAを入れて煮立て、長ねぎを入れてやわらかくなったらまぐろを入れる。

三 煮すぎないうちに、粉ざんしょう、七味唐辛子などの薬味でいただく。

［材料１人分］

まぐろのぶつ切り（赤身）	100g
長ねぎ	１本
A	
だし汁	½カップ
酒・しょうゆ	各大さじ３
みりん	大さじ１
粉ざんしょう・七味唐辛子	各適量

アレンジ

まぐろは中とろを使うと、また格別の旨さが堪能できる。

塩さば×大根

船場汁（せんばじる）

㈠ 塩さばは幅7㎜くらいに切り分ける。大根、にんじんは皮をむき、短冊切りにする。

㈡ 小鍋にだし昆布と水を入れ、一とAを入れて中火にかける。

㈢ 大根がやわらかくなったら味をみて、塩（分量外）で味をととのえる。香りづけに柚子の皮を散らしても。

ポイント
船場汁は大阪の問屋街、船場に伝わる冬の汁物。塩さば以外ではぶりでつくっても旨い。

［材料1人分］

塩さば……………1/4尾
大根………………3㎝
にんじん…………1/3本
だし昆布（4㎝角）……1枚
水…………………2カップ

A
- 酒…………………大さじ2
- 塩…………………小さじ1/3
- しょうが汁………小さじ1/4

柚子の皮…………少々

あさり×大根

あさりと大根鍋

㊀ あさりは砂出し(39頁)して、殻をこすり合わせるようにして水洗いし、水けを拭く。大根は皮をむき、千切りにする。

㊁ 小鍋にAを入れ、㊀を入れて中火にかける。

㊂ あさりの口が開いたら味をみて、塩(分量外)でととのえる。器に汁ごとよそって、好みで一味または七味唐辛子をふる。

[材料1人分]

あさり(殻つき) ……100g
大根 ……5cm
A
- だし汁 ……$1\frac{1}{2}$カップ
- 塩 ……小さじ$\frac{1}{4}$
- 薄口しょうゆ ……小さじ1

一味または七味唐辛子 ‥適量

牡蛎×豆腐

牡蛎のみそ鍋

一 ボールに塩水（107頁）と牡蛎を入れ、ていねいに洗って殻や汚れを取り、ペーパータオルに取って水けを拭く。

二 豆腐は牡蛎と同じくらいの大きさに切る。

三 小鍋にAを入れて混ぜ、一、二を加えて中火にかけて、煮えたところからいただく。好みで粉ざんしょうをふっても。

［材料１人分］

生牡蛎	8～10粒
豆腐	¼丁
A	
みそ	大さじ３
酒	¼カップ
砂糖	大さじ１強
粉ざんしょう	適量

塩水でていねいに洗う。

白身魚×豆腐

白身魚のチゲ

㈠ 白身魚（ここでは鯛）はぶつ切り、豆腐はひと口大に切る。牛肉はざく切りにしてボールに入れ、下味をもみ込む。

㈡ しいたけは石づきを取って薄切り、長ねぎは斜め薄切りにする。

㈢ 小鍋にA、㈠、㈡を入れて煮立て、煮立ったらアク*を取り、弱火で5分煮てでき上がり。最後に、すりごま（分量外）をふっても。

［材料1人分］

白身魚（鯛、すずき、生だらなど）……1切れ
豆腐……½丁
牛薄切り肉……25g
下味
- しょうゆ……大さじ¼
- にんにくのすりおろし……小さじ¼
- ごま油……小さじ1

生しいたけ……2枚
長ねぎ……½本
A
- 水……1½カップ
- 鶏ガラスープの素（顆粒）……小さじ⅓
- 砂糖……小さじ⅓
- 塩……少々
- しょうゆ……大さじ½
- コチュジャン……小さじ1
- すりごま……大さじ1

鶏肉×大根

鶏の水炊き

一 大根、にんじんは皮をむき、厚めの半月切りにする。

二 小鍋に、鶏肉、水、塩を入れて強火にかけ、煮立ったらアクを取り、肉がやわらかくなるまで中火で煮る。

三 一を加え、煮汁が足りなくなったら水を足しながら15分ほど煮る。器によそって、ポン酢または柚子こしょうでいただく。

［材料１人分］

鶏骨つきぶつ切り肉	200g
大根	3㎝
にんじん	1/3本
水	3カップ
塩	小さじ1/3
ポン酢・柚子こしょう	各適量

アレンジ
残り汁にゆでうどんを入れて煮たり、ご飯を入れて雑炊にしても。

常夜鍋

一　小松菜は根元を切り落とし、長さを半分に切る。豚肉は長い場合は半分に切る。

二　小鍋に水と塩を入れて煮立て、一を加える。

三　煮えたものから、からしじょうゆを煮汁で薄めたものにつけていただく。

豚バラ肉×小松菜

[材料1人分]
豚バラ薄切り肉 ……100g
小松菜 ……………3株
水 ……………………2カップ
塩 ……………………少々
練りがらし・しょうゆ
……………………各適量

アレンジ
青菜は、ほうれん草や水菜、白菜、せりなどでも。市販のポン酢につけても旨い。

練りたてのからしは辛みも風味も際立って旨い。粉がらしからつくる場合は、水ではなく必ずぬるま湯で練ること。

鴨肉×長ねぎ

［材料１人分］
合鴨むね肉の削ぎ切り ····100g
長ねぎ ····················１本
市販のめんつゆ（かけ汁よりやや濃いめ）
························１カップ
薬味
七味唐辛子・粉ざんしょう・柚子の皮
······················各適量

アレンジ
〆はゆでうどん、ゆでそばを入れて、長ねぎの小口切りを添える（汁の味をみて、濃ければ薄める）。

鴨鍋

㈠ 長ねぎはぶつ切りにする。鴨肉は脂身を小さじ1ほど切り落とし、フライパンを熱して鴨の脂で長ねぎに焦げ目がつくまで焼く。

㈡ 小鍋にめんつゆを煮立て、長ねぎを入れてやわらかくなるまで煮る。

㈢ 鴨肉を入れて、さっと煮る。器によそって、好みの薬味でいただく。

長ねぎに焦げ目をつける。

ポイント
鴨肉は煮すぎると固くなるので注意。

豚バラ肉×白菜キムチ

豚キムチチゲ

一 豚肉、白菜キムチはざく切り、豆腐はひと口大に切り、にらは根元の固い部分を切り落として、ざく切りにする。

二 小鍋にAを入れて煮立て、一を入れて煮る。

三 煮立ったらアクを取り、弱火で2〜3分煮て、汁ごとよそっていただく。

［材料1人分］

豚バラ薄切り肉 ……100g
白菜キムチ ……50g
豆腐 ……$\frac{1}{2}$丁
にら ……$\frac{1}{2}$束

A
水 ……1$\frac{1}{2}$カップ
鶏ガラスープの素(顆粒)…小さじ1
砂糖 ……小さじ$\frac{1}{2}$
みそ ……大さじ1$\frac{1}{2}$

牛肉×豚バラ肉

牛豚のしゃぶしゃぶ

一 肉は長いものは半分に切り、レタスは縦に4等分くらいに割く。たれはそれぞれ混ぜておく。

二 小鍋にだし汁と塩を入れ、煮立てる。

三 肉とレタスを入れてさっと火を通し、好みのたれでいただく。

［材料1人分］

- 牛薄切り肉（しゃぶしゃぶ用）……4枚
- 豚バラ薄切り肉……4枚
- レタス……3枚
- だし汁……2カップ
- 塩……少々

ポン酢だれ
- 酢・柑橘汁（すだち、レモンなど）……各大さじ1
- しょうゆ・だし汁……各大さじ2

ごまマヨネーズだれ
- すりごま・だし汁……各大さじ2
- しょうゆ……大さじ1
- みりん・マヨネーズ……各小さじ2

いかをさばく

胴とワタの間に親指を差し込み、胴とワタのつけ根を切り離す。

胴の内側についている細長い軟骨を引き抜く。

足をひっぱって内臓ごと引き抜く。胴の中は流水できれいに洗う。刺身にする場合は、このあとエンペラ（三角形の部分）を布巾で持って身からはずし、そのまま皮もはぐ。

胴を包丁で輪切りにする。

★続きは➡
171頁「いかのみそマヨ炒め」へ。

目の下に包丁を入れ、足とワタを切り離す。

㊅ 足を裏返して、つけ根にある茶色いクチバシを取る。

㊆ 足の吸盤を親指でしごいて、吸盤の中にある固い輪の部分を取る。

㊇ 中央にある２本の長い足を切る。

㊈ 口から縦に二つに切り開く。

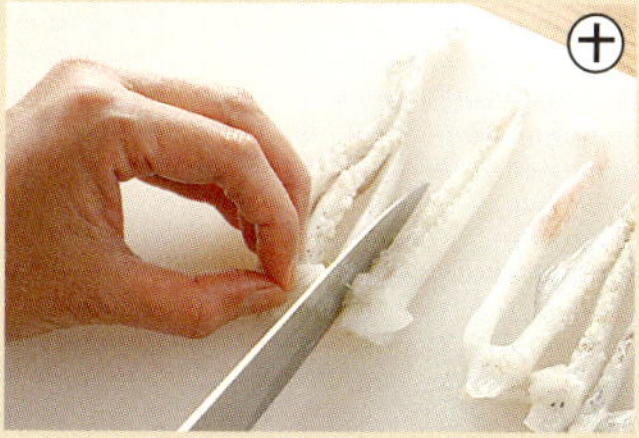

㊉ 足を食べやすく切り分ける。

★続きは➡
40頁「いか大根」、
74頁「いかのしょうが焼き」
90頁「いかの唐揚げ」
184頁「いかのわた焼き」へ。

あじを三枚におろす

包丁の刃先を尾のつけ根から入れて小刻みに動かし、ぜいごを削ぎ取る。

胸ビレのつけ根に包丁を入れ、斜めに切り込んで頭を落とす。

腹側を手前におき、頭側から肛門まで切り目を入れる。

左手で腹を開け、包丁の先でワタをかき出す。

親指で背骨部分の血合いを取りながら、流水で腹の中を洗う。

背側を手前におき、頭側から中骨に沿って包丁を入れ上身を切り離す。

下身の皮目を上にしておき、中骨に沿って包丁を入れ身を切り離す。

三枚におろしたところ。

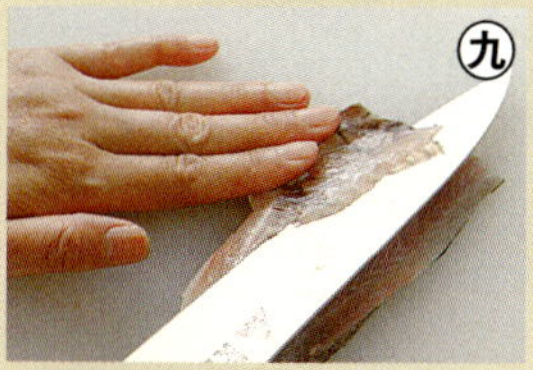

包丁を斜めにして、腹骨を削ぎ取る。

小さい背ビレを切り取る。

★続きは➡
86頁「あじフライ」へ。

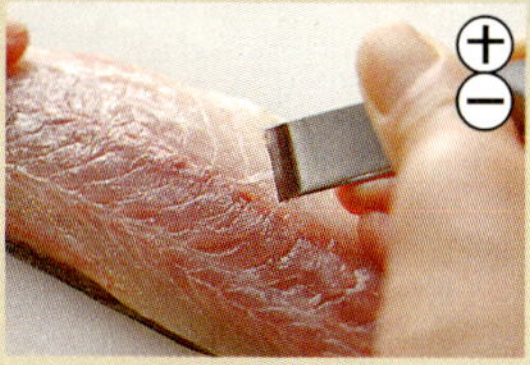

身の中央にある小骨を骨抜きで1本ずつ抜く。頭のほうに向かって抜くと抜きやすい。

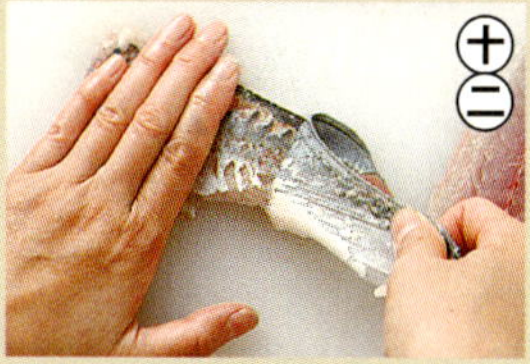

頭側から皮をつかんで、尾のほうに向かって皮をはぐ。

★続きは➡
102頁「あじのなめろう」へ。

さざえをさばく

貝の口を下にして静かにしておき、少しふたを持ち上げたら素早くふたの下にフォークを差し込む。

貝をくるくる回しながら身を引き出す。ここでは全部の身を引き出せなくても、あとで加熱すれば出てくるので大丈夫。

身からふたを切り離し、えんがわとワタを切り取る。身についている赤いクチバシも取る。

流水で洗ってから、食べやすいように身を小さく切り分ける。

★続きは➡
55頁「さざえのエスカルゴ風」へ。

アボカドの下ごしらえ

真ん中の種に当たるように包丁を入れ、縦に1周ぐるりと切り込みを入れる。

両手で持ってねじる。

二つに割れたところ。

包丁の刃元を種に刺して取る。

★続きは➡
94頁「アボカドとまぐろのメキシコ風」、184頁「えびとアボカドのサラダ」へ。

基本のだし汁の取り方

[材料（約$2\frac{1}{2}$カップ分）]
水 ………………… 3カップ
だし昆布（5×10㎝）‥ 1枚
削り節 ……………約30g

1. 昆布を水にひたす

鍋に水とだし昆布を入れて、30分ほどつけておく。

2. 火にかけて昆布を取り出す

中火にかけ、煮立つ直前、昆布から細かい気泡が出たら取り出す。

3. 削り節を加える

沸騰させてから削り節を一気に加え、弱火にして1分ほど煮る。

4. 火を止めしばらくおく

火を止めて、そのまま削り節が底に沈むまで1～2分おく。

4. だし汁をこす

ボールにザル、その上にペーパータオルをのせ、だし汁をこす。

料理用語解説

【アクを取る】

肉や魚、野菜などを煮たりゆでたりしたとき、沸騰すると表面に浮いてくるのがアク。これをアクすくいやお玉でしっかり取り除くこと。アクを取ることで、料理がえぐみ（渋味や苦味など）のない上品な味わいに仕上がる。


【味をととのえる】

料理の仕上げに、味つけを好みで調整すること。


【落としぶた】

鍋よりひと回り小さく、煮物に直接のせるふたのこと。材料が鍋の中でおどらないので煮くずれが防げ、少ない煮汁でも均一に味つけできる。アルミ箔に穴を開けてつくっても。


【かぶるくらい】

鍋に材料を平らに入れ、材料が出ない程度に加えた水分の量。「ひたひた」より多め。


【空煎り】

水や油を使わずに材料を鍋やフライパンで煎ること。余分な水分を飛ばし、香ばしくする。


【コトコト】

弱い火力で鍋の中の物を煮込むときの音を表す語。


【塩ゆで】

熱湯に少量の塩を入れてゆでたり、材料に塩をまぶしてから熱湯でゆでること。


【下味をつける】

肉や魚などの生の材料に、調理する前に酒、塩、しょうゆなどをまぶして、薄く味をつけておく下ごしらえの方法。


【たっぷり】

鍋に平らに材料を入れ、倍以上の高さに水分を加えた状態。


【煮詰める】

煮汁を減らしながら煮ていく方法。調味料は残るので、煮汁は濃くなり材料に味がしみ込む。


【ひたひた】

材料を鍋や容器に入れて水分を注いだとき、材料が顔を出すか出さないかのすれすれの量。


【ひと煮する】

あたためる程度に軽く煮て、火を止めること。


【ひと煮立ち】

煮汁が煮立ってから、ほんの少しの間煮ること。


【蒸し煮】

材料に少量の水分を加えて煮るか、もしくはふたをして材料から出る水分だけで煮ること。素材の栄養分やうまみが逃げない調理法。


【ワタ】

魚介の内臓のこと。かぼちゃやゴーヤなど種を含んでいるやわらかい部分もこう呼ぶ。

第二章

気軽につくれるおつまみレシピ集

まだまだある

クイックおつまみレシピ47

あと一品ほしいときや、とっさのときでも比較的速くつくれるおつまみばかりを集めました。野菜類・魚介類・肉類はもちろんのこと、缶詰め・瓶詰めおつまみは常備しておくとたいへん便利！

イラスト／木野本 由美

野菜類

青菜のおひたし オリーブ油かけ

青菜（小松菜、ほうれん草、チンゲン菜など）は、塩少々を加えた熱湯で塩ゆでし、すばやく水に取って冷ましてから、水けを絞る。器に盛り、オリーブ油適量を回しかけてでき上がり。油をごま油にすれば、中華風の味つけに。

アスパラガスのからし和え

グリーンアスパラ100gは根元の固い部分を3㎝ほど切り落とし、中火のグリルでときどき転がしながらしんなりするまで焼き、食べやすい長さに切る。ボールにだし汁大さじ1（なければ水でも可）、しょうゆ・みりん各大さじ$\frac{1}{2}$、練りがらし小さじ$\frac{1}{2}$を混ぜ合わせ、グリーンアスパラを和えて、器に盛る。

かぼちゃサラダ

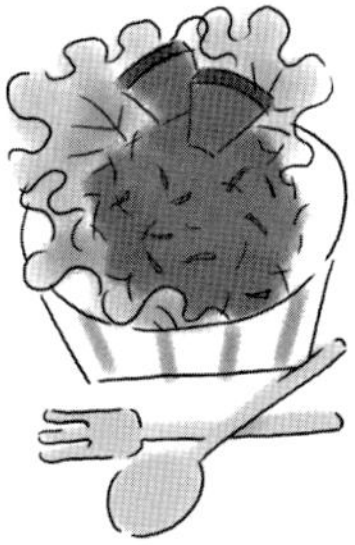

種とワタを取ったかぼちゃ100gは皮つきのままポリ袋に入れ、電子レンジで１分40秒加熱し、袋の上からすりこぎなどでたたいで粗くつぶす。マヨネーズ大さじ１、カレー粉少々を加えて混ぜ、塩少々で味をととのえてでき上がり。レタスをたっぷりしいた器に盛って。

きのこバター

好みのきのこ（しいたけ、まいたけ、エリンギ、えのきだけなど）数種類は、石づきを取って、食べやすい大きさにほぐす（エリンギは薄切りに）。フライパンにバター適量を溶かして中火できのこを軽く炒め、しんなりしたら最後にしょうゆ少々を回しかけてでき上がり。香ばしいバターしょうゆ風味の簡単おつまみ。

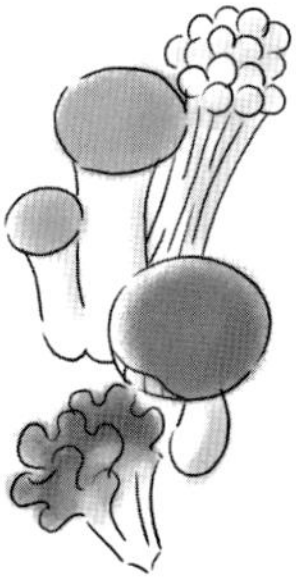

キャベツのアンチョビ炒め

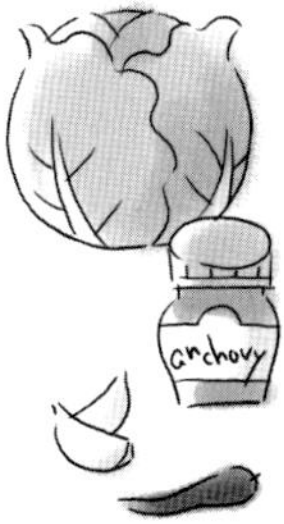

キャベツは適量を３～４㎝角に切る。フライパンにオリーブ油適量を入れ、にんにくのみじん切り１かけ分、赤唐辛子１本、アンチョビ少々を入れてから火をつけて弱火で炒め、香りが立ってきたらキャベツを加えてさっと炒める。歯ごたえが身上なので、炒めすぎないで。

きゅうりのバリバリ（ピリ辛じょうゆ）

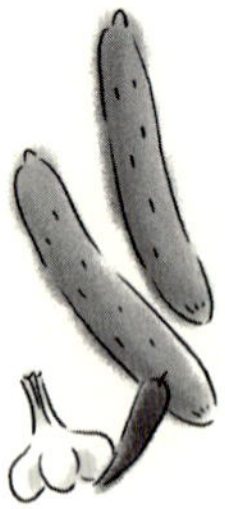

きゅうり1本はすりこぎや空き瓶などでたたいて食べやすい大きさに割り、皿に盛る。フライパンにサラダ油大さじ2、にんにくの薄切り1かけ分、赤唐辛子(鷹の爪)1/2本を入れて弱火にかけ、香りが立ったらしょうゆ大さじ4を加え、ジュッと音がしたら火を止めて、そのまま皿に盛ったきゅうりにかける。

きゅうりもみ入りもずく酢

きゅうりは、スライサーで薄切りにしてボールに入れ、塩少々をふってしばらくおき、しんなりしたら水けをギュッと絞る。食べてみて、しょっぱいようならさっと水洗いしてもう一度絞る。器に市販のもずく酢と一緒に盛りつけ、食べるときに混ぜ合わせる。きゅうりのシャキシャキ感が加わったもずく酢に。

里芋とじゃこのサラダ

里芋3個は熱湯で皮のまま丸ゆでし、竹串がスッと通るまでゆでてザルに上げる。手で触れるぐらいまで冷めたら皮を手でむき、ボールに入れてすりこぎまたはフォークで粗くつぶす。じゃこ大さじ2、万能ねぎの小口切り3本分、マヨネーズ大さじ1弱を加えて混ぜ合わせる。塩・こしょう各少々で味をととのえてでき上がり。

大根の梅和え

大根5㎝分は皮つきのまま厚さ5㎜のいちょう切りにしてボールに入れ、塩少々をふって軽く混ぜる。梅干し1個は種を取り、まな板の上で包丁で粗くたたいておく。大根の塩を洗い流して水けをギュッと絞り、梅肉、しょうゆ・ごま油各小さじ½を混ぜたものを加えて和える。

トマトチャンプルー

トマト1個は、くし形に切る。フライパンにサラダ油(またはごま油)大さじ1を中火で熱し、トマトを炒めて形がくずれかけたら塩・こしょう各少々をふる。溶き卵1個分を加えて大ざっぱに混ぜ、卵が半熟ぐらいになったらでき上がり。

なすみそ炒め

なす1本は乱切り、ピーマン1個は2〜3㎝角に切り、なすだけ熱湯でさっとゆでて水けをきっておく。フライパンにごま油小さじ2を中火で熱し、なすとピーマンを加えて炒める。みそ・砂糖各大さじ1を加え、混ぜ合わせてでき上がり。器に盛って、好みで七味唐辛子をふる。

ピーマンだけしょうゆ炒め

ピーマン3個は、ヘタと種を取って縦に細切りにする。フライパンにサラダ油小さじ1を中火で熱し、ピーマンがしんなりするまで、5分ほどゆっくり炒める。最後にしょうゆ小さじ1を加え、混ぜ合わせてでき上がり。ピーマン本来の甘みが出てくるまで、じっくり炒めるのがポイント。

ポテトチーズ焼き

じゃがいも1個は皮をむいてラップで包んで電子レンジで3～4分加熱し、ひと口大に切る。切ったじゃがいもを耐熱皿に平らに並べて塩・こしょう各少々をふり、ピザ用チーズをたっぷりかける。オーブントースターでチーズが溶けるまで焼いてでき上がり。好みでタバスコソースを添えても。あっつあつを召し上がれ！

もやしの酢の物

もやし$\frac{1}{2}$袋はザルに上げて流水で洗い、熱湯でさっと湯通しして再度ザルに上げ、水けをよくきる。ボールにしょうゆ大さじ1、酢大さじ1を混ぜ合わせて二杯酢をつくっておく。もやしを二杯酢で和えて器に盛り、好みで削り節少々を散らしたり、七味唐辛子をふっても。

いかのみそマヨ炒め

いかはさばいて(158頁)皮をむき(面倒ならむかなくてもＯＫ)、リング状にぶつぶつと切る。フライパンにサラダ油を中火で熱していかを炒め、火が通ったらマヨネーズと同量のみそを適量加え、からませてでき上がり。塩、こしょうをしなくても、濃厚な味わいの一品に。

いか明太和え

辛子明太子$\frac{1}{2}$腹は薄皮を取り除いてほぐし、いかの刺身約50gと和えるだけ。明太子をほぐすには、包丁で切り目を入れてからスプーンなどでかき出すと簡単にできる。さらに本格的な一品にしたいなら、ほぐした明太子は酒少々でのばしてから和えると風味がよくなる。

牡蛎のしょうゆ焼き

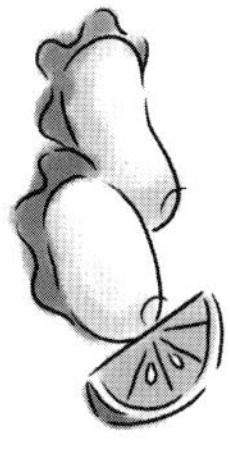

むき牡蛎100gは塩水(水１カップに塩小さじ$\frac{1}{4}$ぐらい)に入れてさっと洗い、ザルに上げて水けをきる。ボールに酒・しょうゆ各小さじ１を混ぜ合わせ、牡蛎を10分ほど浸けてからアルミ箔にのせ、熱したオーブントースター(またはグリル)で５分ほど焼いてでき上がり。器も盛りつけ、好みでカットレモン、七味唐辛子を添える。

白子ポン酢

白子(たらの精巣)100〜200gはザルに入れて真水で軽く洗ってぬめりを取り、キッチンバサミでピンポン球ぐらいの大きさに切り分ける。鍋に沸かした熱湯に入れ、再沸騰してから30秒ほどおいて、ザルに上げる。器に盛って市販のポン酢をかけ、万能ねぎのみじん切り少々を散らす。

たこキムチ

ゆでだこの足100〜200gは、食べやすい大きさのぶつ切りにする。ボールに切ったたこを入れ、食べる直前に市販のキムチの素適量で和えてでき上がり。好みで、長ねぎのみじん切りを混ぜても。もちろん、いかの刺身でつくってもおいしい。

たらもサラダ

じゃがいも１個は洗ってぬれたままラップで包み、電子レンジで３〜４分加熱する(皮をむいて１㎝角に切り、竹串がスッと刺さるぐらいまで熱湯でゆでてもＯＫ)。ボールに入れて熱いうちに皮をむき、マヨネーズ大さじ３、薄皮を取り除いたたらこ$\frac{1}{2}$腹を混ぜ合わせ、レモン汁・塩・こしょう各少々で味をととのえる。フランスパンの薄切りを添えて。

まぐろのコチュジャン和え

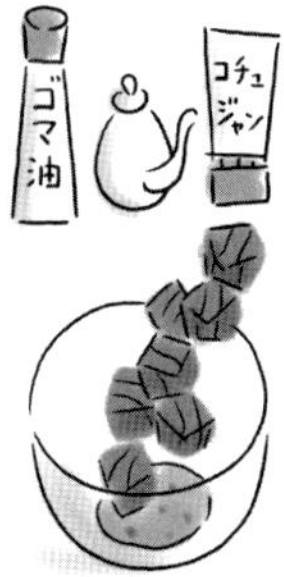

まぐろの刺身(赤身)約50gは1.5cm角に切る。ボールにコチュジャン小さじ1弱、しょうゆ小さじ1弱、ごま油少々を混ぜ合わせておき、食べる直前に切ったまぐろを和えてでき上がり。同じようにして、たこやいか、白身魚の刺身でもおいしくつくれる。

ウィンナーケチャップ炒め

肉類

ピーマン、玉ねぎ、ウィンナーソーセージは包丁で適当な大きさにざくざく切り、切ったそばからサラダ油をひいたフライパンに入れ、中火で炒める。味つけは、こしょうだけ。最後にトマトケチャップをドボドボ入れ、全体をからませてでき上がり。油もケチャップも多いかな？くらいたっぷりでちょうどいい。

牛スジ煮込み

牛スジ200gはひと口大に切り、鍋に水1リットルを入れて、水からやわらかくなるまで1時間ほど煮る。牛スジと同じ大きさぐらいに切った大根7cm分、にんじん$\frac{1}{2}$本を鍋に加え、さらに煮込む。水分が半量くらいになり、野菜がやわらかくなったら、しょうゆ大さじ$1\frac{1}{2}$、みりん大さじ$\frac{1}{2}$を加え、味をととのえてでき上がり。器に盛って七味唐辛子をふり、好みで長ねぎの薄切りをのせても。

ささ身の柚子こしょう和え

鶏ささ身2本は、鍋に塩少々を加えた熱湯で塩ゆでし、食べやすい大きさに手で割いておく。柚子こしょう（最近はチューブ入りで売っている）小さじ$\frac{1}{3}$と混ぜ合わせて、でき上がり。ささ身は、塩ゆでしなくても、耐熱容器に入れてラップをして電子レンジで1分ほど加熱してもよい。

鶏皮せんべい

鶏皮はフライパンに重ならないように並べ（油は入れない）、弱火で30分ほど、皮がきつね色になり全体がカリカリになるまでじっくり焼く。器に盛って、塩少々をふってでき上がり。最近は、鶏皮だけをパックしたものがスーパーなどでも安く売っている。

鶏皮ポン酢

鶏皮50〜100gは5㎜幅くらいの千切りにする。鍋に鶏皮が浸るくらいの熱湯を沸かして酒少々を加え、鶏皮を入れたらアクを取りながら軽くゆでる。火が通ったらザルに上げ、キッチンペーパーで水分を拭き取って器に盛る。食べる直前に市販のポン酢を回しかけ、万能ねぎの小口切り適量を散らす。好みで練りがらしを添えても。

鶏手羽中のごま焼き

ボールにしょうがのすりおろし1/2かけ分、しょうゆ小さじ１を混ぜ合わせ、鶏手羽中６本を入れてからめ、数分おいて下味をつける。鶏肉の汁けを拭き取ってから卵黄１個分を溶いて全体にからめ、白ごまをまぶす。フライパンにサラダ油大さじ１を中火で熱し、鶏肉を入れて両面がカリッとなるまで焼き上げる。

鶏ハツのハーブ焼き

鶏ハツは縦半分に切り、余分な血や筋を取り除いてから水洗いし、キッチンペーパーで水けを拭く。アルミ箔の上にハツをのせて塩・こしょう各少々をふり、中火のグリルで焼き上げる。両面こんがり焼いたらローズマリーのみじん切りをふり、器に盛る。

鶏もも肉のチリ風味揚げ

鶏もも肉１枚(250g)は皮目をフォークでところどころを突いて穴をあけ、ひと口大に切る。ボールに入れ、塩小さじ1/4、こしょう・チリペッパー・チリパウダー各少々をもみ込んで10分ほどおく。全体に小麦粉を薄くまぶしたら、170～180℃の揚げ油でカラッと揚げる。器に盛り、カットライムまたはカットレモンを添える。

厚揚げ サイコロステーキ

厚揚げを適当な大きさのサイコロ状に切り、サラダ油大さじ１をひいたフライパンで全面をこんがりきつね色に焼く。市販のめんつゆを適量加えて味つけし、仕上げにバター少々を落として香りづけしてでき上がり。好みで、万能ねぎの小口切りを散らしても。

キムチチーズ餃子

白菜キムチは包丁でざくざくと切り、プロセスチーズを小さく切ったものと混ぜ合わせておく。それを具として、餃子をつくるときと同じように餃子の皮で包み、餃子を焼くときと同じ要領で焼き上げる。ビールや焼酎が旨い一品に。

魚肉ソーセージ焼き

魚肉ソーセージは皮をむき、幅7㎜ぐらいの斜め薄切りにする。フライパンにサラダ油を多めにひいて中火にかけ、焦げ目がつくぐらいまでじっくり焼き上げる。皿に盛り、塩少々をふってでき上がり。ビールのおつまみに最適。

ちくわの梅しそ和え

梅干しは種を取り除き、まな板にのせて包丁でたたく。さらに青じそのみじん切りをたたき混ぜ、ひと口大に切ったちくわと和えて器に盛る。梅しそ風味のさっぱりした一品は、とりあえずのおつまみに。

納豆チーズ揚げ

納豆はたれと(好みでマスタードも)混ぜ合わせておき、ピザ用チーズ適量と一緒にワンタンの皮で包む。フライパンに揚げ油を中火(170℃前後)にあたため、こんがりきつね色に揚げる。チーズはプロセスチーズを小さく切ったものでもＯＫ。ワンタンの皮がなければ、餃子の皮でつくっても。

ピータン豆腐

ピータン１個は泥ごとかぶるくらいのぬるま湯につけ、泥がやわらかくなったら泥を落として殻をむき、包丁で粗く刻んでおく。ボールにピータンを入れて木綿豆腐１丁をくずしながら混ぜ合わせ、器に盛りつける。塩・こしょう各少々をふって万能ねぎの小口切りを散らし、ごま油少々をかければでき上がり。

焼きエリンギの柚子こしょう和え

エリンギ２本は１㎝角の棒状に手で割き、フライパンまたはグリルでしんなりするまで弱火で焼く。ボールにしょうゆ・酢各小さじ２、柚子こしょう小さじ¼を混ぜ合わせておき、焼いたエリンギを加えて味をからめる。

焼きがんも

がんもをオーブントースターでこんがり焦げ目がつくまで焼くだけ。油が気になる場合はアルミ箔をしいて、両面を焼こう。味つけは好みで、しょうゆだけでも十分おいしいし、七味唐辛子をふっても。しょうがじょうゆ、からしじょうゆなら、また違ったおいしさが。油揚げを焼けば「焼き油揚げ」になる。

わさびチーズ海苔

海苔½枚の上にスライスチーズ１枚を片側に寄せてのせ、チーズの上に練りわさび（チューブ入り）を薄くぬる。海苔の片側を折ってチーズを挟むようにして重ね、包丁でひと口大に切ればでき上がり。チーズと海苔の絶妙な組み合わせに、わさびのアクセントが加わった不思議な味わいの一品。

缶詰め・瓶詰め

いわし缶のマヨネーズ焼き

いわし缶(しょうゆ味のもの)を開けたら、具を落とさないよう注意して汁を捨てる。具の上からマヨネーズをたっぷりかけて、缶ごとオーブントースターで焼く。マヨネーズが溶けて、少し焦げ色がついたらでき上がり。熱くなった缶を持つときは、ペンチを使うと安全にできる。

オイルサーディンの缶ごと焼き

缶を開けて、そのまま魚焼き用の網にのせてコンロにのせ、弱めの中火で焼く(オーブントースターでもＯＫ)。中がふつふつとして、具があたたまったらでき上がり。缶が熱くなっているので、持つときはペンチなどを使って。味が薄いと感じたら、しょうゆ少々で味つけしても。

コンビーフ炒めのクラッカーのせ

コンビーフを缶から出してフライパンに入れ、油は入れずに、中火でほぐしながら炒めて器に盛る。さらし玉ねぎ(玉ねぎを粗みじん切りまたは薄切りにしてから水にさらし、水けを拭いたもの)と一緒に、クラッカーにのせていただく。

牛肉大和煮の生春巻き

生春巻きの皮はさっと水にくぐらせ、まな板の上において戻しておく。缶を開け、戻した生春巻きの皮に牛肉大和煮とレタス適量をおき、マヨネーズ適量をかける。生春巻きの皮で全体をきれいに巻いて、でき上がり。

さけ缶ワイン蒸し

さけをほぐさずに缶から出して汁ごと小鍋に入れ、しょうゆ大さじ½、白ワイン½カップ、パセリのみじん切り適量を加える。ふたをして、中火で10分ほど蒸し煮すればでき上がり。同様に、さばの水煮缶でもつくれる。

さんまのかば焼き缶チーズ焼き

さんまのかば焼きをアルミ箔に並べ、ピザ用チーズをたっぷりかける。オーブントースターでチーズが溶けるまで4～5分焼けばでき上がり。器にアルミ拍ごと盛りつけ、好みで黒こしょうをふっても。同様に、いわしのかば焼き缶でもつくれる。

スパムステーキ

ランチョンミート（スパム）を厚さ7㎜～1㎝にスライスし、サラダ油を多めにひいたフライパンで焦げ目がつくまで焼く。塩・こしょう各少々をふって器に盛り、練りがらしを添える。ランチョンミートとは、豚肉のすり身を味つけして固めたポーク缶詰めのこと。「SPAM」「TULIP」ブランドが有名。

なめたけ卵焼き

器に卵2個を割りほぐし、なめたけ（瓶詰め）大さじ1、紅しょうが・塩・こしょう各少々を加え、混ぜ合わせる。フライパンにサラダ油大さじ1を熱し、普通の卵焼きを焼くときと同じようにして焼き上げる。

海苔なめたけおろし

大根は適量をすりおろし、なめたけ（瓶詰め）・もみ海苔各適量とともに器に彩りよく盛り合わせる。食べるときに全体を混ぜて、しょうゆで好みの味つけにしていただく。すぐにつくれておいしい、とりあえずの一品におすすめ。

文字だけ おつまみレシピ20

材＝材料　(小)＝小さじ　(大)＝大さじ　(カ)＝カップ

（レシピは１～２人分のつくりやすい分量を表記）

キャベツのおかか煮

材：キャベツ４枚　A（削り節５g　しょうゆ(大)１　酢(小)１）

キャベツはざく切りにして耐熱容器に入れ、混ぜたAをかけてラップし、電子レンジで３分加熱する。

きゅうりの中華風酢漬け

材：きゅうり１本　A（砂糖(小)１　しょうゆ(大)１　ごま油またはラー油(小)½）

❶きゅうりは縦半分に切って長さ４cmに切り、味がしみやすいよう皮側から斜めに何本も切り込みを入れる。❷密閉容器に入れてAを注ぎ、冷蔵庫に30分以上おいて冷やす。

ゴーヤのおひたし

材：ゴーヤ½本　塩少々　削り節少々　しょうゆ少々

❶ゴーヤは縦半分に切って種とワタをスプーンですくい取り、ごく薄い小口切りにする。❷ボールに入れて塩を加え、軽くもんでから熱湯をざっと注ぎ、ザルに上げて水けを絞る。削り節としょうゆをかける。

えのきだけ梅肉和え

材：えのきだけ½袋　酒(大)１　梅肉１個分　A（砂糖(小)½　酢(小)１）　B（水(小)１　片栗粉(小)１）

❶フライパンを中火で熱し、石づきを取ったえのきだけと酒を加えて１～２分蒸し煮する。❷梅肉を包丁でたたいてAと合わせて小鍋に入れ、火にかけて沸騰したらBを加え、とろみをつける。器に①を盛り②をかける。

かぶのしょうゆ漬け

材：かぶ２個　A（しょうゆ(大)３　酢(大)１）

かぶは皮をむいて縦半分に切り、厚さ５㎜の薄切りにしてボールに入れ、Aをまぶす。20分ほどおいて、水けをきる。

かぼちゃのきんぴら

材：かぼちゃ¼個　A（酒・しょうゆ各(大)½　砂糖(小)２）ごま油(大)½　白ごま（あれば）(大)½

❶かぼちゃは種とワタを取って長さ４cm幅５㎜の細切りにし、フライパンにごま油を中火で熱して炒める。❷かぼちゃに火が通ったらAを加えてからめ、仕上げに白ごまをまぶす。

❶ほうれん草は洗って水けをよくきり、ざく切りにする。ベーコンは2㎝幅に切る。❷フライパンにオリーブ油を熱し、にんにくとベーコンを中火で炒め、香りが立ったらほうれん草を加え、強火にしてサッと炒めて塩、こしょうで味をととのえる。

もやしのナムル風

材：もやし½袋　A（塩少々　ごま油・豆板醤各(小)1）

もやしは洗って耐熱容器に入れ、電子レンジで1分強加熱し、Aを和える。

れんこんの厚焼き

材：れんこん200g　しょうゆ少々　片栗粉少々　サラダ油(大)1　練りがらし少々

❶れんこんは厚さ1㎝の輪切りにし、皮をむいて両面にしょうゆをつけ薄く片栗粉をまぶす。❷フライパンにサラダ油を熱し、れんこんに焼き色がつくまで弱めの中火で焼く。器に盛り、練りがらしを添える。

厚揚げの甘辛煮

材：厚揚げ1枚　A（だし汁½(カ)　しょうゆ(大)2　砂糖・みりん各(大)1　しょうがの薄切り½かけ分）

❶厚揚げはザルに入れて熱湯を回しかけ、油抜きする。❷鍋にAを入れて中火にかけ、煮立ったら①を加えて弱火にし、ふたをして10分ほど煮る。

しらたきのピリ辛

材：しらたき200g　A（砂糖ひとつまみ　しょうゆ(大)1　ごま油(小)1）　七味唐辛子少々

❶しらたきは水から熱湯でゆでてザルに上げ、水けをきって食べやすく切る。❷フライパンで30秒ほど中火で空煎りし、Aを加えて火を止め、七味唐辛子をふる。

たけのこソテー

材：たけのこ（水煮）1個　しょうゆ(大)1　片栗粉適量　グリーンアスパラ2～3本　塩少々　サラダ油適量

❶たけのこは根元の固い部分は輪切り、穂先はくし形に6～8等分し、しょうゆをまぶして水けを拭き片栗粉を薄くまぶす。フライパンにサラダ油を熱して炒め、いったん取り出す。❷グリーンアスパラは長さ4㎝に切ってフライパンで炒め、塩をふってふたをし、弱火で中まで火を通す。①を戻して炒め合わせる。

玉ねぎとおかかの二杯酢

材：玉ねぎ½個　A（しょうゆ(小)2　酢(小)2）　削り節適量

❶玉ねぎは繊維と垂直にごく薄くスライスし、冷水に10分ほどさらして水けをきり、器に盛る。❷混ぜておいたAと削り節をかける。

ほうれん草のベーコン炒め

材：ほうれん草½束　ベーコン2枚　にんにく½かけ　オリーブ油(小)2　塩・こしょう各少々

まぐろユッケ

材：まぐろの刺身(赤身)100g　A(にんにくのすりおろし½かけ分　しょうゆ・ごま油各(大)1　ラー油少々)　卵黄1個分　万能ねぎの小口切り適量

❶まぐろはざく切りにしてから包丁でたたいで細かくし、ボールに入れてAを混ぜる。❷器に盛り、卵黄をのせて万能ねぎを散らす。

牛肉とししとうのガーリック炒め

材：牛薄切り肉100g　ししとう10本(150g)　にんにくの薄切り1かけ分　赤唐辛子の輪切り(小)1　A(酒・砂糖各(小)1　しょうゆ(大)1)　サラダ油(大)1

❶牛肉は食べやすい大きさに切り、ししとうはヘタを取り竹串で2～3箇所穴を開ける。❷フライパンにサラダ油、にんにく、赤唐辛子を入れて中火で熱し、香りが立ったら牛肉を入れて火を通し、ししとうとAを加えて炒め合わせる。

砂肝の唐揚げ

材：鶏砂肝200g　A(酒(大)½しょうゆ・しょうが汁各(大)1)　片栗粉(大)3　揚げ油適量

❶砂肝はたっぷりの水に5分ほどつけて血抜きし、水けをきってひと口大の削ぎ切りにする。Aに10分ほどつけて下味をつける。❷片栗粉をまぶし、170度に熱した揚げ油でカラッと揚げる。

いかのわた焼き

材：いか1ぱい　酒少々

❶いかはさばいて(158頁)舟の形にしたアルミ箔におき、ワタをのせて薄皮を切り酒をふりかける。❷アルミ箔をぴっちり包んでオーブントースターで6～7分焼く。食べるときにワタを全体にからめる。

えびとアボカドのサラダ

材：むきえび70g　アボカド½個　酒・レモン汁・こしょう各少々　A(トマトケチャップ・マヨネーズ各(大)1)

❶えびは酒をまぶしてから熱湯でさっとゆでる。アボカドは種と皮を除いて(163頁) 3㎝角に切り、レモン汁をふりかける。❷ボールに①を入れ、Aを加えて和える。

白身魚のカルパッチョ

材：白身魚(鯛、ひらめなど)の刺身100g　万能ねぎ小口切り5本分　レモン汁½個分　オリーブ油(大)2　塩・こしょう各少々

❶白身魚の刺身は薄切りにして、皿に並べる。❷塩、こしょうをふってレモン汁をかけ、オリーブ油を回しかけて万能ねぎを散らす。

たこのマリネ

材：ゆでだこ200g　玉ねぎの薄切り½個分　A(粒マスタード(小)1　砂糖(小)½　酢(大)1½　オリーブ油(大)1　塩・こしょう各少々)

❶たこはぶつ切りにする。❷ボールにAを入れて混ぜ合わせ、たこと玉ねぎを加えて和える。

薬味いっぱいくずし豆腐……119
ぶかっけ薬味そうめん……130
鶏飯……132
きゅうりのバリバリ(ピリ辛じょうゆ)……168
きゅうりもみ入りもずく酢……168
きゅうりの中華風酢漬け……182
●ぎんなん
煎りぎんなん……54
●グリーンアスパラ
いろいろ野菜の素揚げ……84
鶏軟骨のカレー風味揚げ……92
アスパラガスのからし和え……166
たけのこソテー……183
●クレソン
うにクレソン炒め……75
●ゴーヤ
ゴーヤチャンプルー……70
ゴーヤのおひたし……182
●ごぼう
きんぴらサラダ……28
もつ煮込み……42
いろいろ野菜の素揚げ……84
たたき酢ごぼう……98
●小松菜
常夜鍋……152
青菜のおひたしオリーブ油かけ……166
●里芋
たこと里芋のやわらか煮……36
里芋とじゃこのサラダ……168
●さやいんげん
いんげんのごま和え……97
●ししとう
塩焼きとり……62
しらすとししとうのペペロンチーノ……76
いろいろ野菜の素揚げ……84
牛肉とししとうのガーリック炒め……184
●しめじ
豆腐のきのこあん……124
きのこバター……167
●じゃがいも
ポテトサラダ……26
ジャーマンポテト……69
カレーコロッケ……85
ポテトチーズ焼き……170
たらもサラダ……172
●春菊
たらちり……141

野菜・きのこ類

●青じそ
小あじの南蛮漬け……88
なすときゅうりのもみ柴漬け……96
あじのなめろう……102
まぐろの山かけ……106
薬味いっぱいくずし豆腐……119
ぶかっけ薬味そうめん……130
ちくわの梅しそ和え……177
●アボカド
アボカドとまぐろのメキシコ風……94
えびとアボカドのサラダ……184
●枝豆
枝豆のしょうゆ煮……38
●えのきだけ
豆腐のきのこあん……124
きのこバター……167
えのきだけ梅肉和え……182
●エリンギ
きのこバター……167
焼きエリンギの柚子こしょう和え……178
●おくら
豚角煮大根……46
おくらいか納豆……104
●貝割れ大根
みょうがと貝割れのおかかまぶし……18
ホタテと切り干し大根のサラダ……30
鶏飯……132
●かぶ
かぶとスモークドサーモンの甘酢和え……99
かぶのしょうゆ漬け……182
●かぼちゃ
かぼちゃサラダ……167
かぼちゃのきんぴら……182
●キャベツ
にら玉キャベツ……67
あじフライ……86
串カツ……93
キャベツのアンチョビ炒め……167
キャベツのおかか煮……182
●きゅうり
野菜スティック……13
ちくわきゅうり……14
ピクルス……23
ポテトサラダ……26
マカロニサラダ……35
レバカツ……80
なすときゅうりのもみ柴漬け……96
たたききゅうりのポン酢和え……100
ゆで豚のピリ辛ソース……101

ウィンナーケチャップ炒め……173
玉ねぎとおかかの二杯酢……183
たこのマリネ……184
●チンゲン菜
青菜のおひたしオリーブ油かけ……166
●トマト
トマトとモッツァレラチーズの
サラダ……27
トマト炒め……66
トマトチャンプルー……169
●長ねぎ
もつ煮込み……42
豚角煮大根……46
鶏団子と厚揚げの煮物……49
つくね焼き……60
ねぎ入り卵焼き……63
合鴨の塩焼き……79
ゆで豚のピリ辛ソース……101
あじのなめろう……102
ねぎ塩やっこ……118
薬味いっぱいくずし豆腐……119
煎り豆腐……121
肉豆腐……125
豆腐とあさりの煮物……127
湯豆腐……138
あぶすき……140
ぶりの水炊き……142
ねぎま鍋……146
白身魚のチゲ……150
鴨鍋……154
●なす
焼きなす……50
いろいろ野菜の素揚げ……84
なすときゅうりのもみ柴漬け……96
なすみそ炒め……169
●生しいたけ
豆腐のきのこあん……124
白身魚のチゲ……150
きのこバター……167
●にら
にら玉キャベツ……67
豚にらキムチ炒め……78
豚キムチチゲ……156
●にんじん
野菜スティック……13
きんぴらサラダ……28
マカロニサラダ……35
もつ煮込み……42
船場汁……147
鶏の水炊き……151

野菜・きのこ類

●しょうが・新しょうが
みそ漬け3種……16
チャーシューと青ねぎのサラダ……33
いか大根……40
もつ煮込み……42
さんまのしょうが煮……45
豚角煮大根……46
手羽先のピリ辛焼き……58
いかのしょうが焼き……74
あじのなめろう……102
ゆで豚のピリ辛ソース……101
薬味いっぱいくずし豆腐……119
焼き厚揚げ……126
ピリ辛塩焼きそば……131
しょうがご飯……136
●すだち
鯛の昆布蒸し……41
たこの唐揚げ……89
いかの唐揚げ……90
すだちご飯……137
●セロリ
野菜スティック……13
豚耳とセロリの炒め物……64
●そら豆
そら豆の丸焼き……52
●大根
野菜スティック……13
いか大根……40
もつ煮込み……42
豚角煮大根……46
酢牡蛎……107
揚げだし豆腐……122
船場汁……147
あさりと大根鍋……148
鶏の水炊き……151
大根の梅和え……169
牛スジ煮込み……173
●たけのこ(水煮)
たけのこソテー……183
●玉ねぎ
オニオンスライス卵黄のせ……19
ポテトサラダ……26
ピクルス……23
マカロニサラダ……35
ジャーマンポテト……69
カレーコロッケ……85
小あじの南蛮漬け……88
串カツ……93
油揚げの玉ねぎ詰め焼き……120

きのこバター……167

●水菜

豆腐と水菜のカリカリじゃこサラダ……29

水菜とはまぐりの鍋仕立て……144

●みょうが

みょうがと貝割れのおかかまぶし……18

小あじの南蛮漬け……88

なすときゅうりのもみ柴漬け……96

薬味いっぱいくずし豆腐……119

●もやし

もやしの酢の物……170

もやしのナムル風……183

●山芋・長芋

たたき山芋の明太和え……10

おろし山芋の磯辺焼き……53

いろいろ野菜の素揚げ……84

まぐろの山かけ……106

●柚子の皮

ぶりの水炊き……142

船場汁……147

●レタス

牛豚のしゃぶしゃぶ……157

かぼちゃサラダ……167

牛肉大和煮の生春巻き……180

●レモン(レモン汁)

生ほうれん草とカリカリベーコンのサラダ……24

ホタテと切り干し大根のサラダ……30

さけハラス焼き……56

塩豚の網焼き……61

牡蛎のしょうゆ焼き……171

たらもサラダ……172

白身魚のカルパッチョ……184

●れんこん

れんこんの厚焼き……183

魚介類・加工品

●あさり(殻つき・むき身)

あさりの酒蒸し……39

あさりの酒蒸し……39

わけぎとあさりのぬた……105

豆腐とあさりの煮物……127

あさりと大根鍋……148

●あじ(刺身用)・小あじ

あじフライ……86

あじのなめろう……102

小あじの南蛮漬け……88

●いか(刺身用)

いか大根……40

いかのしょうが焼き……74

いかの唐揚げ……90

牛スジ煮込み……173

●にんにく

チャーシューと青ねぎのサラダ……33

さざえのエスカルゴ風……55

手羽先のピリ辛焼き……58

豚耳とセロリの炒め物……64

トマト炒め……66

たこのガーリックソテー……73

うにクレソン炒め……75

しらすとししとうのペペロンチーノ……76

にんにく丸揚げ・素揚げ……82

アボカドとまぐろのメキシコ風……94

ゆで豚のピリ辛ソース……101

ピリ辛塩焼きそば……131

白身魚のチゲ……150

ほうれん草のベーコン炒め……183

まぐろユッケ……184

牛肉とししとうのガーリック炒め……184

●白菜

白菜とひじきのサラダ……34

●パセリ

たこのガーリックソテー……73

さけ缶ワイン蒸し……180

●万能ねぎ・わけぎ

チャーシューと青ねぎのサラダ……33

あさりの酒蒸し……39

塩豚の網焼き……61

わけぎとあさりのぬた……105

まぐろの山かけ……106

揚げだし豆腐……122

豆腐のきのこあん……124

卵納豆そば……128

ぶかっけ薬味そうめん……130

里芋とじゃこのサラダ……168

鶏皮ポン酢……174

ピータン豆腐……177

まぐろユッケ……184

●ピーマン

なすみそ炒め……169

ピーマンだけしょうゆ炒め……170

ウィンナーケチャップ炒め……173

●プチトマト

ピクルス……23

豆腐と水菜のカリカリじゃこサラダ……29

●ほうれん草(生)

生ほうれん草とカリカリベーコンのサラダ……24

青菜のおひたしオリーブ油かけ……166

ほうれん草のベーコン炒め……183

●まいたけ

まいたけのしょうゆバター……44

●まぐろの刺身(赤身・ぶつ切り)
アボカドとまぐろのメキシコ風……94
まぐろの山かけ……106
ねぎま鍋……146
まぐろのコチュジャン和え……173
まぐろユッケ……184
●むきえび
えびとアボカドのサラダ……184
●ゆでだこ
たこと里芋のやわらか煮……36
たこのガーリックソテー……73
たこの唐揚げ……89
たこキムチ……172
たこのマリネ……184

肉類・加工品

●合鴨むね肉
合鴨の塩焼き……79
鴨鍋……154
●ウィンナーソーセージ
ジャーマンポテト……69
ウィンナーケチャップ炒め……173
●牛薄切り肉
肉豆腐……125
白身魚のチゲ……150
牛豚のしゃぶしゃぶ……157
牛肉としし とうのガーリック炒め……184
●牛スジ
牛スジ煮込み……173
●チャーシュー(市販)
チャーシューと青ねぎのサラダ……33
●鶏皮
鶏皮せんべい……174
鶏皮ポン酢……174
●鶏ささ身・砂肝・鶏軟骨
ささ身の柚子こしょう和え……174
砂肝の唐揚げ……184
鶏軟骨のカレー風味揚げ……92
●鶏手羽先・手羽中
手羽先のピリ辛焼き……58
鶏手羽中のごま焼き……175
●鶏ハツ
塩焼きとり……62
鶏ハツのハーブ焼き……175
●鶏ひき肉(もも肉)
鶏団子と厚揚げの煮物……49
つくね焼き……60
煎り豆腐……121
●鶏骨つきぶつ切り肉
鶏の水炊き……151

おくらいか納豆……104
いかのみそマヨ炒め……171
いか明太和え……171
いかのわた焼き……184
●辛子明太子
たたき山芋の明太和え……10
いか明太和え……171
●さけハラス
さけハラス焼き……56
●さざえ
さざえのエスカルゴ風……55
●さんま
さんまのしょうが煮……45
●塩さば
船場汁……147
●白子(たらの精巣)
白子ポン酢……172
●しらす・ちりめんじゃこ
豆腐と水菜のカリカリじゃこサラダ……29
しらすとししとうのペペロンチーノ……76
里芋とじゃこのサラダ……168
●白身魚(鯛、すずき、生だら、ひらめなど)
白身魚のチゲ……150
白身魚のカルパッチョ……184
●スモークドサーモン
かぶとスモークドサーモンの甘酢和え……99
●鯛の切り身
鯛の昆布蒸し……41
●たらこ
たらもサラダ……172
●生うに
うにクレソン炒め……75
●生牡蛎(生食用・むき牡蛎)
酢牡蛎……107
牡蛎のみそ鍋……149
牡蛎のしょうゆ焼き……171
●生筋子
いくらご飯……134
●生だらの切り身
たらちり……141
●はまぐり
水菜とはまぐりの鍋仕立て……144
●ぶりの切り身
ぶりの塩焼き……57
ぶりの水炊き……142
●ホタテの貝柱
ホタテのバターしょうゆ焼き……72

ねぎ塩やっこ……118
揚げだし豆腐……122
豆腐のきのこあん……124
肉豆腐……125
豆腐とあさりの煮物……127
湯豆腐……138
たらちり……141
煮やっこ……143
牡蛎のみそ鍋……149
豚キムチチゲ……156
ピータン豆腐……177
●納豆
おくらいか納豆……104
卵納豆そば……128
納豆チーズ揚げ……177

チーズ

●カッテージチーズ
ツナとカッテージチーズのサラダ……32
●カマンベールチーズ
カマンベールチーズフライ……83
●クリームチーズ
クリームチーズのわさびじょうゆ和え……22
●生モッツァレラチーズ
みそ漬け3種……16
トマトとモッツァレラチーズのサラダ……27
●ピザ用チーズ
ぬれせんのチーズ焼き……21
ポテトチーズ焼き……170
納豆チーズ揚げ……177
さんまのかば焼き缶チーズ焼き……180
●プロセスチーズ・スライスチーズ
プロセスチーズの黒こしょうまぶし……12
キムチチーズ餃子……176
わさびチーズ海苔……178

その他

●赤唐辛子(輪切り)
豚耳とセロリの炒め物……64
しらすとししとうのペペロンチーノ……76
酢牡蛎……107
ピリ辛塩焼きそば……131
キャベツのアンチョビ炒め……167
きゅうりのバリバリ(ピリ辛じょうゆ)……168
牛肉とししとうのガーリック炒め……184
●梅干し
なすときゅうりのもみ柴漬け……96
大根の梅和え……169
ちくわの梅しそ和え……177
えのきだけ梅肉和え……182

●鶏むね肉
鶏飯……132
●鶏もも肉
塩焼きとり……62
鶏の唐揚げ……91
鶏もも肉のチリ風味揚げ……175
●鶏レバー
鶏レバーの甘辛煮……48
塩焼きとり……62
●ハム
ポテトサラダ……26
マカロニサラダ……35
●豚薄切り肉
豚にらキムチ炒め……78
●豚肩ロース(固まり)
塩豚の網焼き……61
●豚白もつ・豚レバー・豚耳
もつ煮込み……42
レバカツ……80
豚耳とセロリの炒め物……64
●豚バラ肉(固まり・薄切り)
豚角煮大根……46
串カツ……93
ゆで豚のピリ辛ソース……101
常夜鍋……152
豚キムチチゲ……156
牛豚のしゃぶしゃぶ……157
●ベーコン
カリカリベーコンせんべい……15
生ほうれん草と
カリカリベーコンのサラダ……24
ほうれん草のベーコン炒め……183

豆腐・大豆加工品

●厚揚げ
鶏団子と厚揚げの煮物……49
焼き厚揚げ……126
厚揚げサイコロステーキ……176
厚揚げの甘辛煮……183
●油揚げ
油揚げの玉ねぎ詰め焼き……120
あぶすき……140
焼き油揚げ……178
●がんもどき
焼きがんも……178
●豆腐(木綿・絹ごし)
みそ漬け3種……16
豆腐と水菜のカリカリじゃこサラダ……29
ゴーヤチャンプルー……70
焼きみそ豆腐……116

あじフライ……86
小あじの南蛮漬け……88
鶏の唐揚げ……91
串カツ……93
煎り豆腐……121
卵納豆そば……128
鶏飯……132
煮やっこ……143
トマトチャンプルー……169
なめたけ卵焼き……181
まぐろユッケ……184
●ちくわ
ちくわきゅうり……14
ちくわの梅しそ和え……177
●海苔
おろし山芋の磯辺焼き……53
薬味いっぱいくずし豆腐……119
わさびおにぎり……135
すだちご飯……137
わさびチーズ海苔……178
海苔なめたけおろし……181
●白菜キムチ
豚にらキムチ炒め……78
ぶかっけ薬味そうめん……130
豚キムチチゲ……156
キムチチーズ餃子……176
●ピータン
ピータン豆腐……177
●フランスパン
さざえのエスカルゴ風……55
うにクレソン炒め……75
たらもサラダ……172
●ポン酢(市販)
たたききゅうりのポン酢和え……100
ぶりの水炊き……142
鶏の水炊き……151
白子ポン酢……172
鶏皮ポン酢……174
●めんつゆ(市販)
揚げだし豆腐……122
卵納豆そば……128
ぶかっけ薬味そうめん……130
あぶすき……140
鴨鍋……154
厚揚げサイコロステーキ……176
●そうめん・焼きそば・ゆでそば
ぶかっけ薬味そうめん……130
ピリ辛塩焼きそば……131
卵納豆そば……128
●魚肉ソーセージ
魚肉ソーセージ焼き……176
●切り干し大根・ひじき
ホタテと切り干し大根のサラダ……30
白菜とひじきのサラダ……34
●黒オリーブ
ツナとカッテージチーズのサラダ……32
●削り節
みょうがと貝割れのおかかまぶし……18
オニオンスライス卵黄のせ……19
焼きなす……50
すだちご飯……137
湯豆腐……138
煮やっこ……143
キャベツのおかか煮……182
ゴーヤのおひたし……182
玉ねぎとおかかの二杯酢……183
●ごま(すりごま、煎りごま)
野菜スティック……13
きんぴらサラダ……28
いんげんのごま和え……97
たたき酢ごぼう……98
焼きみそ豆腐……116
鶏飯(けいはん)……132
白身魚のチゲ……150
牛豚のしゃぶしゃぶ……157
鶏手羽中のごま焼き……175
●こんにゃく・しらたき
煎りこんにゃく……68
しらたきのピリ辛……183
●ショートパスタ
ツナとカッテージチーズのサラダ……32
マカロニサラダ……35
●だし昆布
鯛の昆布蒸し……41
湯豆腐……138
ぶりの水炊き……142
船場汁……147
●卵
オニオンスライス卵黄のせ……19
ゆで卵の練りうにのせ……20
白菜とひじきのサラダ……34
鶏団子と厚揚げの煮物……49
つくね焼き……60
ねぎ入り卵焼き……63
にら玉キャベツ……67
ゴーヤチャンプルー……70
レバカツ……80
カマンベールチーズフライ……83
カレーコロッケ……85

いかのみそマヨ炒め……171
たらもサラダ……172
いわし缶のマヨネーズ焼き……179
牛肉大和煮の生春巻き……180
えびとアボカドのサラダ……184
●みそ
みそ漬け3種……16
もつ煮込み……42
にんにく丸揚げ・素揚げ……82
あじのなめろう……102
わけぎとあさりのぬた……105
焼きみそ豆腐……116
水菜とはまぐりの鍋仕立て……144
牡蛎のみそ鍋……149
豚キムチチゲ……156
なすみそ炒め……169
いかのみそマヨ炒め……171
●柚子こしょう
合鴨の塩焼き……79
ぶりの水炊き……142
鶏の水炊き……151
鴨鍋……154
ささ身の柚子こしょう和え……174
焼きエリンギの柚子こしょう和え……178

缶詰め・瓶詰め

●いわし缶・オイルサーディン
いわし缶のマヨネーズ焼き……179
オイルサーディンの缶ごと焼き……179
●コンビーフ・牛肉大和煮
コンビーフ炒めのクラッカーのせ……179
牛肉大和煮の生春巻き……180
●さけ缶・さんまのかば焼き缶
さけ缶ワイン蒸し……180
さんまのかば焼き缶チーズ焼き……180
●ツナ缶
ツナとカッテージチーズのサラダ……32
●なめたけ（瓶詰め）
なめたけ卵焼き……181
海苔なめたけおろし……181
●ホタテの缶詰め
ホタテと切り干し大根のサラダ……30
●ランチョンミート缶詰め
ゴーヤチャンプルー……70
スパムステーキ……181

調味料・粉類

●片栗粉
鶏団子と厚揚げの煮物……49
鶏レバーの甘辛煮……48
つくね焼き……60
揚げだし豆腐……122
豆腐のきのこあん……124
●コチュジャン
ピリ辛塩焼きそば……131
白身魚のチゲ……150
まぐろのコチュジャン和え……173
●小麦粉
ホタテのバターしょうゆ焼き……72
レバカツ……80
カマンベールチーズフライ……83
カレーコロッケ……85
あじフライ……86
小あじの南蛮漬け……88
たこの唐揚げ……89
いかの唐揚げ……90
鶏の唐揚げ……91
鶏軟骨のカレー風味揚げ……92
串カツ……93
揚げだし豆腐……122
豆腐のきのこあん……124
●豆板醤
手羽先のピリ辛焼き……58
ゆで豚のピリ辛ソース……101
●トマトケチャップ
ウィンナーケチャップ炒め……173
えびとアボカドのサラダ……184
●パン粉
たこのガーリックソテー……73
レバカツ……80
カマンベールチーズフライ……83
カレーコロッケ……85
あじフライ……86
小あじの南蛮漬け……88
串カツ……93
●マヨネーズ
野菜スティック……13
ちくわきゅうり……14
ポテトサラダ……26
きんぴらサラダ……28
ホタテと切り干し大根のサラダ……30
ツナとカッテージチーズのサラダ……32
マカロニサラダ……35
にら玉キャベツ……67
牛豚のしゃぶしゃぶ……157
里芋とじゃこのサラダ……168

料理制作

瀬尾 幸子（せお ゆきこ）

料理研究家。
無駄と無理を省いたシンプルで旨いオリジナルレシピに定評がある。今回は、酒呑みが思わずぐいっと一杯やりたくなる、横丁酒場の定番おつまみの数々を紹介していただいた。もちろん自身も、特注の甕で焼酎を寝かせて楽しむほどの酒好きだ。書道、茶道、陶芸、和装にも通ずる才人である。近著に「簡単！旨いつまみ」（学研）がある。

構成・編集
吉原 信成（編集工房桃庵）
デザイン
柳田 尚美（N/Y graphics）
撮影
鵜澤 昭彦（スタジオ・パワー）
スタイリング
渡辺 久子
料理助手
小高 夏美
イラスト
みひら ともこ／木野本 由美
編集協力
スタジオスウェル
撮影協力
㈱キントー東京オフィス
東京都渋谷区恵比寿西1-7-7
EBSビル9階
電話 03-3780-5771

おつまみ横丁

すぐにおいしい酒の肴185

編　者／編集工房桃庵
発行者／池田　豊
印刷所／大日本印刷株式会社
製本所／大日本印刷株式会社
発行所／株式会社池田書店
〒162-0851
東京都新宿区弁天町43番地
電話03-3267-6821㈹
振替00120-9-60072
乱丁、落丁はお取り替えいたします。

ISBN978-4-262-12928-0

0833707